かがくを料理する

石川繭子、石川伸一、加賀麗　著

JN046908

O'REILLY®
オライリー・ジャパン

Make:

目次

はじめに

なんでも料理に見える現象

　「パレイドリア現象」を知っていますか。月の濃淡がウサギに見えたり、コンセントが人の顔に見えたりする錯覚のことで、自分の身近なものに置き換えようとする、脳のはたらきだそうです。

　ハンドクリームがクリームチーズに見えたり、山の斜面を固めるコンクリート壁がワッフルに見えたりなど、食べものに関する錯覚も多そうです。小さい頃、おいしそうな石を思わずなめてしまった人もいるかもしれません。料理ではないものが料理に見えるのは、それだけ頭の中が料理でいっぱいになっているということなのでしょう。つまり、食いしん坊が"空目"すれば、なんでも料理に見えてくるのです。

料理で科学との距離感が近くなる

　過去に、おもしろいと話題になった授業がありました。それは、応用数学が専門のマイケル・ブレナー教授らが、ハーバード大学で行った「科学と料理」という講義です。その中で、応用物理学が専門のデービッド・ワイツ教授は、レアやミディアムに焼いたステーキ肉を使って、弾力性などの物理化学的な変化を説明しました。

　ワイツ教授は、「学生に科学のおもしろさを伝えるのは長年の課題だったが、今回は大きな手応えを感じた」と語っています。この講義からわかるのは、科学の基本的な原理を伝える"道具"として、料理がとても強力なツールになるということです。

"料理を科学する"はよくあるが、
その逆はなかなかない

"料理を科学する"のは調理学という学問分野ですが、その逆の"科学を料理する"ことは、これまでにあまりなかったようです。つまり、生物学や化学などの分野で知る細胞や分子を、料理で表現するという世界です。

科学の世界を料理でデザインしようとすると、教科書では気づかなかった、自分だけの特別な発見があります。また、手を動かしてつくってみると、頭だけでなく身体全体で「わかった！」感覚が味わえます。そしてなんといっても、自分でつくった「かがく」を食べることができるため、文字通り、身になるのです。

科学好きと料理好きがひたすら妄想してつくったのが、このレシピブックです。ぜひ、つくって体感してみてください。また、この本に載っていない「かがく」がどんな料理になるか、教えてくれたらとてもうれしいです。

著者一同

動物細胞と植物細胞

極太巻き寿司

太巻き寿司は、きゅうり、かんぴょう、卵焼きなど
味や形が違う具材が入っていて楽しい。
細胞の中にある細胞小器官もいろいろな種類があり、
それぞれの形やはたらきがある。
太巻きの断面を細胞のモデル図に見立てて、
動物細胞と植物細胞をつくってみよう。
核、小胞体、ミトコンドリア、ゴルジ体……と詰め込めば、
極太の太巻きができあがる。

≫ 料理のつくり方

材料 | 6皿分

- 炊飯米 ……………………… 2kg
- 高菜漬け（もしくは野沢菜漬け）
  ……………………………… 200g
- すし酢 …………………… 180ml
- 卵焼き ……………………… 100g
- かんぴょう ………………… 100g
- かにかま …………………… 75g

- 黒ごま …………………… 大さじ3
- 桜でんぶ …………………… 30g
- 山ごぼう …………………… 2本
- きゅうり ………………… 1/2本
- 全形焼きのり …………… 5枚
- 大葉 ………………………… 30枚

作り方

1　炊飯米にすし酢を合わせる。そのうち100gのすし飯に桜でんぶを加えて混ぜる（桜でんぶすし飯）。50gのすし飯に黒ごまを大さじ1加えて混ぜる（ごますし飯）。残りのすし飯に黒ごまを大さじ2加え、よく混ぜる。

2　全形焼きのりを半分にし、桜でんぶすし飯を半分と、山ごぼう1本をのせて巻く。これを2つ作る（A）。

3　大葉と大葉の間にごますし飯をはさんで、5層のミルフィーユ状にする。これを計6つ作る（B）。

4　動物細胞太巻きをつくる。全形焼きのり2枚を並べて敷いた上に、すし飯を薄く敷く（C）。その上に、3の大葉ミルフィーユを3つ、2の細巻き、かにかま、かんぴょうをのせ、すき間にすし飯を敷き詰め、丸く

　かがくを料理する

巻く（D）。

5 植物細胞太巻きをつくる。高菜漬けを広げた上に全形焼きのり2枚を敷き、すし飯を薄く敷く。動物細胞太巻きに使った具材に加えて、切ったきゅうりと卵焼きを置き、すき間にすし飯を敷き詰め、四角く巻く。

6 動物細胞太巻き、植物細胞太巻きともに2〜3cmの幅に切り、皿に盛る（E、F）。

C

D

E

F

≫ かがくの解説

ポイント

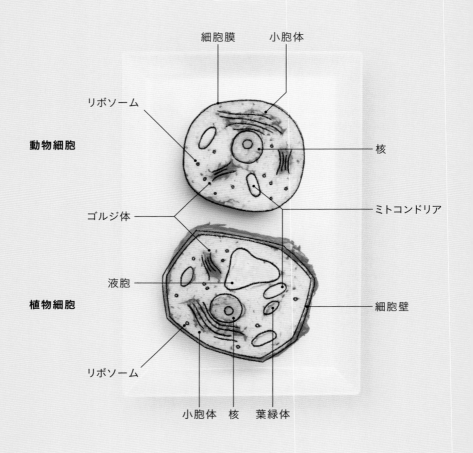

細胞膜　小胞体

リボソーム

動物細胞

核

ゴルジ体

ミトコンドリア

植物細胞

液胞

細胞壁

リボソーム

小胞体　核　葉緑体

動物細胞　動物の体を構成する細胞。細胞の中には核、ミトコンドリア、ゴルジ体、小胞体、リボソームなどがあり、細胞質は細胞膜で包まれている。

植物細胞　植物の体を構成する細胞。細胞の中には核、ミトコンドリア、ゴルジ体、小胞体、リボソーム、葉緑体、液胞などがあり、細胞質は細胞膜と細胞壁で包まれている。

［ 動物・植物まちがいさがし ］

　生物の体は、細胞でできている。細胞の中に核をもつものを真核細胞という。ヒトは真核細胞でできた真核生物だ。私たちが食べている肉や魚、野菜などの植物も真核細胞でできている。核をもたない細胞は原核細胞という。ヨーグルトに使われている乳酸菌などは原核生物である。ヒトの体が心臓や腸、骨などさまざまな器官をもっているように、真核細胞の中にもいろいろな器官が存在する。それらは、まとめて細胞小器官とよばれる。

　真核細胞のうち、ヒトや鶏など動物の体をつくる細胞は動物細胞とよばれる。野菜や果物などの細胞は植物細胞とよばれ、動物細胞と比べると細胞小器官や構造がすこし違う。

　動物細胞の細胞小器官には、核、ミトコンドリア、小胞体、リボソーム、ゴルジ体、リソソーム、中心体、細胞骨格などがある。中心体以外の細胞小器官は植物細胞にも共通する。一方、植物細胞にあって動物細胞にはない細胞小器官は、葉緑体や液胞などだ。持っている細胞小器官の違いは、それぞれの細胞のエネルギーの作り方、物質の貯蔵、成長（細胞分裂）のしかたなどが違うことを意味している。どちらの細胞も細胞質全体が薄い細胞膜で包まれ、閉じた袋状の構造をしている。細胞小器官にも細胞と同じような膜で包まれた構造をもつものがある。

　寿司のネタになるマグロやサーモンなどの魚肉は、顕微鏡を使わなければ見えない小さな細胞が、数えきれないほど大量に集まってできている。一方、厚焼き玉子に使う鶏卵の卵黄は、直径約3cmもの1個の大きな細胞といえる。すし飯に使う米や、酢の原料になる穀物などは植物細胞でできている。植物細胞で目を引かれる特徴は、細胞膜の外側を頑丈な細胞壁が囲んでいることだ。植物の細胞壁にはヒトが消化できない成分が含まれている。野菜類に含まれる食物繊維とは、おもにこれらのことだ。かっぱ巻きのきゅうりをかむとき、シャリッとした食感で細胞壁の存在を感じることができる。

核

クリスピー最中アイスクリーム

真核細胞の中心には核がある。
「真ん中」の意味もある最中は、核をつくるにはぴったりかもしれない。
丸い形の最中の皮を自作すれば、丸い核を取り囲む核膜になる。
理科の実験では、酢酸オルセインという溶液で
核を赤く染色して観察する。
核の中にある染色体が染まるのだ。
核の最中アイスクリームも
赤いストロベリーソースでおいしく染めてみよう。

≫ 料理のつくり方

材料 | 2皿分

・白玉粉 ……………… 大さじ3 　・ストロベリーソース … 大さじ1
・コーンスターチ ……… 大さじ1 　・玄米 …………………… 適量
・バニラアイスクリーム 　・サラダ油 ……………… 少々
　……………………… 200ml

作り方

1　玄米を洗い、水気をよく切る。フライパン
　　に玄米を入れ、中火で10〜15分間、茶
　　色く色が変わるまで煎る（A）。

2　ボウルに白玉粉とコーンスターチを入れ、
　　水を大さじ2加え、よく混ぜる（B）。

3　2の生地を4等分にし、それぞれを平たく
　　伸ばす。1の玄米を表面にのせる（C）。

4　直径6〜8cm程度の半球状シリコン型に
　　サラダ油を薄く塗り、3を玄米の面が外側
　　になるように入れて押し広げる（D）。アル
　　ミホイルをかぶせ、生地がふくらまないよ
　　うにタルトストーンをのせる。

5　230℃のオーブンで約30分間焼き、冷却
　　後、シリコン型から最中をゆっくりはずす
　　（E）。

盛り付け

最中にバニラアイスクリームとストロベリーソースを軽く混ぜたものを詰め、中央に直径1〜2cm程度の半球状シリコン型で凍らせたストロベリーソースのシャーベットを置く。

ポイント

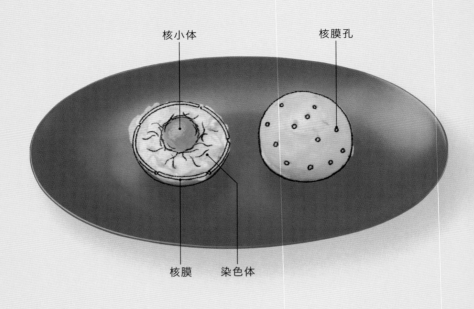

核小体

核膜孔

核膜　染色体

核膜	核を包んでいる膜。二重の生体膜でできている。
核膜孔	核膜に空いた穴のような構造。物質の出入り口になる。
染色体	遺伝物質のDNAでできた構造体。
核小体	核の中の目立つ構造。おもにリボソームRNAが合成される。

〚 まんまるまんなか 〛

核は細胞の中でひときわ目立つ構造体だ。数ある細胞小器官のうちで最初に発見された。1つの真核細胞には、基本的に1つの核がある。核の中には遺伝情報が書かれたDNAが収められている。真核細胞のDNAはとても長く、複雑な構造で多種多様なタンパク質を作るためのレシピがすべて入っている。核のない原核細胞と違い、タンパク質合成のいくつかの過程は核内と核外に場所が分かれている。

核の表面は核膜でおおわれている。核膜は内外の二重の層になっていて、表面には穴が空いたような形のタンパク質の構造がいくつもある。これは核膜孔とよばれ、ゲートのような役割をする。タンパク質の合成に必要なRNAや特定のタンパク質などは核膜孔から出入りする。

核の中の形態は、細胞が分裂する周期によって劇的に変わる（参照：メニュー07）。核小体は、細胞分裂の起こらない間期にみられる構造体だ。染色体は細胞が分裂する時期にさしかかると、凝集して特徴的な棒状に形が変化し、顕微鏡ではっきりと観察できるようになる。

ところで、最中の由来になったものは丸い形の餅菓子といわれている。平安時代、水面に映る月を題材に、「最中」という言葉を使った和歌がよまれた。その月見の宴にふるまわれていた丸い餅を、最中の月（中秋の名月）と名付けたのだという説がある。江戸時代には、丸い形の甘い煎餅のような菓子が「最中の月」の名で売り出された。中にあんこを入れるようになったのは、その後のことである。

中世には、マクロの視点で丸い菓子が最中の月に例えられた。現代になり、ミクロの視点で丸い細胞核から最中のメニューができた。最中をはさんで月と細胞核の外観を連想してみると、形は丸く、穴（クレーター）がいくつも空いている。星と細胞が似ているというのは話が飛びすぎだが、生物の体は宇宙にも例えられることがある。どちらも謎が多く、わくわくする世界だ。

ミトコンドリア

×

チーズインとんかつ

ミトコンドリアは、生命が活動するための
エネルギーのもとを生み出す細胞小器官だ。
その内側にある内膜はうねうねとした形状をしている。
豚肉と海苔とチーズの層を折りたたんで形を作り、
その全体を薄切り肉で包みこむ。
衣をつけて揚げればサクサクのミトコンドリア風とんかつが完成する。
食べると大きなエネルギーが得られる料理だ。

≫ 料理のつくり方 ─────────

材料 | 1皿分

- 豚肉ロース薄切り ····· 100g
- スライスチーズ ········· 3枚
- 鶏卵 ···················· 1個
- 小麦粉 ················· 20g
- パン粉 ················· 20g
- 全形焼きのり (縦1/8に切ったもの)
  ···················· 2枚
- サラダ油 ············· 500ml

作り方

1 のり1枚を敷いた上に、半分に切ったスライスチーズを並べ、さらにのりをのせる。それを数枚の薄切り豚肉で包む (A)。

2 1をジグザグに折り、竹串2本で固定する (B)。

3 全体をさらに薄切り豚肉で包みながら、楕円体に形を整える (C)。

4 3に小麦粉、溶いた卵液、パン粉を順につける (D)。

5 4を170℃のサラダ油で約10分間、揚げる (E)。

6 串と串の間を切り (F)、断面が上になるように皿に盛る。

　　　　　かがくを料理する

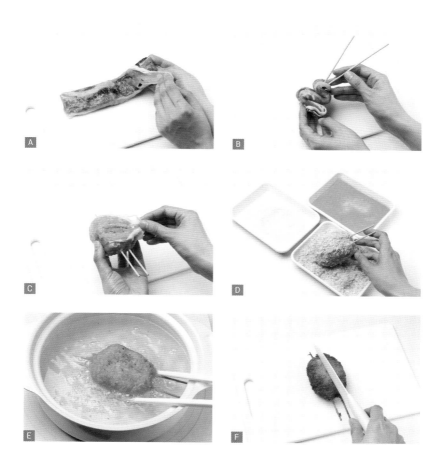

ミトコンドリア × チーズインとんかつ

ポイント

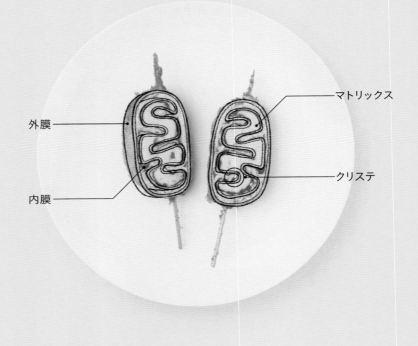

外膜

マトリックス

内膜

クリステ

外膜	ミトコンドリアの二重膜のうち外側の膜。
内膜	ミトコンドリアの二重膜のうち内側の膜。クリステを形成している。
クリステ	ミトコンドリア内膜の構造。ひだ状に入り組んだような独特な形状をとる。
マトリックス	内膜の内側にある区画。

[エネルギー爆発！]

ミトコンドリアはパワフルな細胞小器官だ。細胞の活動に必須のエネルギーの運搬体（ATP）を、絶えず作り続ける。ミトコンドリアは核と同じく、二重の膜で包まれている。外側を外膜、内側を内膜という。外膜はなめらかな構造だが、内膜はひだ状に折りたたまれたような形をしている。この独特な構造はクリステとよばれる。クリステにより内膜の表面積を大きくすることができ、ATP生産の場は広くなる。内膜の内側の区画はマトリックスとよばれる。

内膜の構造は変わったミルフィーユのようにも見えるが、形だけからは予想できない複雑な反応が展開されている。それにはまず、私たちが取り込んだおいしい食事や空気の行き先を考えてみることになる。食べものから得られた炭水化物、タンパク質、脂肪は、分解され細胞の中に取り込まれる。それらの物質はそれぞれの段階を得てミトコンドリアのマトリックスに運ばれると、輪をえがくように循環する反応経路（クエン酸回路）に入り、その過程でATPができる。ここでは二酸化炭素も発生し、私たちが吐く息として体外に排出される。マトリックスの反応に続いて内膜でも反応が起こる（電子伝達系）。ここでは酸素が使われ、より多くのATPが生成される。

ミトコンドリアの内膜にはたくさんの酵素が存在し、ATP合成の反応をうながす。一方、ミトコンドリア風とんかつでは、内膜の海苔が全体の風味に深みを与える。一見、目立たない内膜は大きな役割を果たしている。

ミトコンドリアには独特な特徴がある。細胞内を動き回り、分裂したり集まって長くなったりする。二重膜や、核のDNAとは異なるDNAをもつ。これらの特徴からミトコンドリアの起源が考えられた。細胞がミトコンドリアを"食べた"というものだ。大きい真核細胞に細菌のような外来生物が取り込まれ、細胞の内部で共生することで細胞小器官になったという。外来生物が由来の説は、メニュー04の葉緑体にもある。

葉緑体

ベジタブルピタ

レタスやきゅうりなどの野菜には葉緑体がある。
葉緑体は丸い袋に包まれた構造をしているが、
料理にも袋の形をしているものがある。
円盤状のパン「ピタ」は、上手に焼くと中がふくらんで
閉じた袋のようになり、半分に切ればポケットのようになる。
ほうれん草を練り込んだ生地を使って、
葉緑体風のベジタブルピタをつくってみよう。

≫ 料理のつくり方

材料｜2皿分

ほうれん草ピタパン

- 強力粉 ……………………… 100g
- オリーブオイル ……… 10g
- ほうれん草パウダー
  ………………………………… 5g
- 砂糖 …………………………… 3g
- ドライイースト ……… 1.5g
- 塩 ……………………………… 1g
- サラダ油 ………………… 少々

その他の具材

- きゅうり …………………… 適量
- レタス ……………………… 適量

フムス

- ひよこ豆（水煮缶）…… 400g
- 水煮缶の汁（ひよこ豆の煮汁）
  ………………………………… 50ml
- 白練りごま ……………… 大さじ3
- オリーブオイル ……… 大さじ3
- レモン汁 ………………… 大さじ1
- 塩 …………………………… 小さじ1/2
- ガーリックパウダー … 少量
- クミンパウダー ……… 適量
- カイエンペッパー …… 適量

作り方

ほうれん草ピタパン

1 ボウルに強力粉、ほうれん草パウダー、砂糖、ドライイーストを入れ、混ぜる（A）。さらに塩を加え、ぬるま湯50mlを少しずつ入れながら混ぜたら、オリーブオイルを加え、ひとまとまりにする。生地がなめらかになるまで7〜8分間こねる（B）。

2 1の生地をボウルに入れてラップをかるくかけ、室内の暖かい場所に50〜60分間おいて発酵させる。

かがくを料理する

3　生地が1.5〜2倍の大きさにふくれたら、打ち粉をふった台にのせ、2等分に切り分ける。生地を丸め、めん棒で楕円形にのばす（C）。

4　熱したフライパンにサラダ油を薄く塗り、生地を1枚のせ、ふたをして焼く。少しふくらんだら裏返し、ふたをして約2分間焼く。

フムス

1　ひよこ豆の水煮缶を開け、ひよこ豆と煮汁に分ける（D）。

2　フードプロセッサーにひよこ豆を入れ、ペースト状になるまで攪拌する。

3　2にひよこ豆の煮汁、白練りごま、オリーブオイル、レモン汁、塩、ガーリックパウダー、クミンパウダー、カイエンペッパーを加え、なめらかなペーストになるまで、再びフードプロセッサーにかける（E）。

<u>盛り付け</u>

ほうれん草ピタパンを半分に切り、切り口をポケット状に開く。その中にきゅうり、レタス、フムスを入れ、皿にのせる（F）。

≫ かがくの解説

ポイント

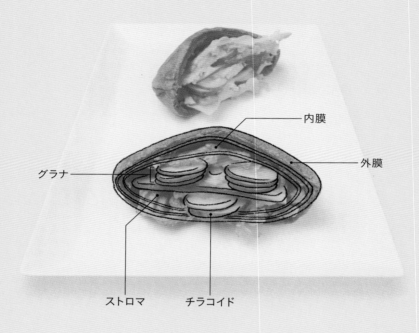

内膜

外膜

グラナ

ストロマ　チラコイド

チラコイド	葉緑体の中に並んでいる、膜でできた円盤状の構造体。
グラナ	チラコイドが層状に積み重なった構造。陸上植物と緑藻にある。
ストロマ	内膜で取り囲まれた区画。
外膜	葉緑体の二重膜のうち外側の膜。
内膜	葉緑体の二重膜のうち内側の膜。

かがくを料理する

〚 自給自足してます。〛

葉緑体を持つ植物や藻類は、光合成でエネルギーを得ることができる。

光合成では光と水と二酸化炭素が使われ、酸素と有機化合物が生成される。植物細胞は葉緑体があることで、ミトコンドリアでのATP合成に必要な酸素と食物分子を得ることができる。また、ミトコンドリアが食物分子と酸素を材料にしてATPを作り出すのに対し、葉緑体は光エネルギーを直接、化学エネルギーのATPに変換する。このATP合成のしかたが、光合成の最大の特徴といえる。

葉緑体はミトコンドリアと同じように全体が内膜と外膜で二重に包まれ、閉じた袋状の形をしている。構造は似ているが、大きさはミトコンドリアよりも大きい。内部には膜でできた平たい袋状の構造体がいくつもある。この構造体はチラコイドとよばれ、チラコイドがコインを何枚も重ねたように層になっている構造はグラナとよばれる。チラコイドがバラバラに散らばるのではなく、重なることで光エネルギーは効率よく吸収される。

チラコイドの膜にはATP合成のための酵素が存在し、ここで光エネルギーを化学エネルギーに変える反応（明反応）が起こる。内膜の内側にはストロマとよばれる、ミトコンドリアのマトリックスに似た区画がある。ストロマでは、チラコイドでの明反応に続いて、光を使わない反応（暗反応）が起こる。

チラコイドの膜には、クロロフィルという明反応に重要な物質が多く含まれている。クロロフィル分子は独特な構造をしており、アンテナのように光エネルギーを受け取り、それを化学エネルギーに変換する場所へ送り込むことができる。

クロロフィルは緑色の光をほとんど吸収しないので、この色の光が反射され、植物や藻類は緑色に見える。ある条件下でほうれん草やブロッコリーを調理して、おいしそうな鮮緑色になったり、食欲をそそられない黒ずんだ色になったりした場合は、クロロフィルが違う物質に変化したのが理由のひとつだろう。

ゴルジ体

三段オムライス

ゴルジ体は、膜に包まれた袋をいくつか重ねたような形が特徴的だ。
重なった袋の見た目は似ていても、
中身のはたらきはそれぞれ違っている。
オムライスの中身もいろいろなライスでつくると味の違いが楽しめる。
平たいオムライスを注意深く重ねれば、ゴルジ体の層に見えてくる。
ゴルジ体に入ったり出たりする小胞の球体もつくって添えてみよう。

≫ 料理のつくり方

材料 | 1皿分

- 炊飯米 ……………… 500g
- 鶏卵 …………………… 4個
- たまねぎ ………… 1/2個
- 鶏むねひき肉 ………… 50g
- にんじん …………… 1/2本
- とろけるチーズ ……… 1枚
- ケチャップ ………… 大さじ2
- サラダ油 …………… 適量
- バター（有塩）……… 大さじ1
- パセリ ……………… 10g
- カレー粉 ………… 小さじ1
- ガーリックパウダー … 少々
- 塩 …………………… 少々
- こしょう ……………… 少々

作り方

1　カレーごはんを作る。たまねぎをみじん切りにし、サラダ油をひいたフライパンで炒めたあと、カレー粉とガーリックパウダーを入れてかるく炒める。さらに、炊飯米を加えてかるく炒め、最後に塩こしょうをする。

2　ケチャップごはんを作る。鶏むねひき肉を、サラダ油をひいたフライパンで炒めたあと、にんじんを加えて炒める。さらに、炊飯米とケチャップを加えてかるく炒め、塩こしょうをする。

A

3　パセリバターごはんを作る。あたたかい炊飯米にバターとパセリを加えて混ぜ、塩こしょうをする（A）。

4　鶏卵を割って混ぜ、1/3程度を使って薄焼きたまごを3枚焼く（B）。

5　残った卵液を使い、たこ焼き器でチーズが中に入った球体の卵焼きを作る（C）。

B

かがくを料理する

盛り付け

1 薄焼きたまごを敷いた上にごはんをのせ
（D）、平たい円盤状になるように包みこむ
（E）。これをそれぞれのごはんで作る。

2 薄焼きたまごで包んだカレーごはんを包
んだ面を下にして皿にのせる。

3 その上に、薄焼きたまごで包んだケチャッ
プごはんをのせる。

4 さらにその上に、薄焼きたまごで包んだ
パセリバターごはんをのせる。

5 球体の卵焼きを添える。

ポイント

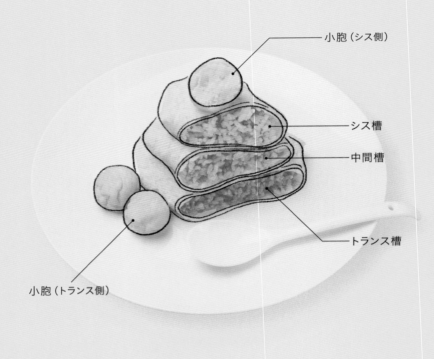

小胞（シス側）

シス槽

中間槽

トランス槽

小胞（トランス側）

シス槽、中間槽、トランス槽	層状に重なり、ゴルジ体を構成する扁平な袋状構造。それぞれの槽は、はたらきの違いなどで分けられる。
小胞（シス側）	小胞体から運んできたタンパク質をゴルジ体へ渡す。
小胞（トランス側）	ゴルジ体で修飾を受けたタンパク質を細胞膜の方へ運ぶ。

［ 入ったら素通りできない… ］

　ゴルジ体は、生体膜でできた平らな袋状の構造体が皿のように重なった形をしている。袋の数は、細胞の種類などによって異なる。

　おもなはたらきは、新しく合成されたタンパク質を修飾し、目的地を選別して送り出すことだ。

　ゴルジ体は細胞質の中で、通常、核や小胞体と細胞膜との間にあるといわれる。核や小胞体と隣り合う方がシス面、細胞膜の方はトランス面とよばれる。ゴルジ体の袋（槽）は、核や小胞体側と細胞膜側で性質が変わることがわかっている。

　タンパク質はゴルジ体の中を一方向に通る。新しく合成されたタンパク質は、小胞体から分離した小胞という容器に入れられ運ばれてくる。タンパク質はシス槽からゴルジ体の内部へ入り、中間の槽を経て、トランス槽で別の小胞に入れられ運び出される。

　タンパク質はゴルジ体の中を通るあいだに、酵素によって決まった順序で糖鎖を付けられたり切断されたりすることで、正しく修飾され、構造が整えられていく。

　それぞれ完成したタンパク質は、トランス槽で種類を選別され、輸送先ごとの小胞に入れられる。

　ゴルジ体や他の細胞小器官は、すべての細胞でモデル図そのままの形をしているわけではない。たとえば、バラバラのゴルジ体を持つ生物もいるし、ミトコンドリアは細胞によって長く伸びたり分裂したりする。細胞自体も分化していろいろな形の細胞になる。それぞれの構造体の要素を抽出したモデル図で、性質や機能を形の特徴から推察できる場合もある。細胞小器官を料理にするとき、作っている部分にはどんな性質やはたらきがあるのか想像してみよう。

　このレシピのオムライスは、タンパク質の通過にならってシス側からトランス側に食べ進めると、あっさり系から濃厚系のライスを味わえる。つくるライスの種類で食べ方のバリエーションも広がる。たとえば、3種類を一度に食べたときのうま味の相乗効果をねらって、昆布味、かつおぶし味、しいたけ味の"最強うま味オムライス"も良さそうだ。

No.06

生体膜

野菜たっぷりキーマカレー

細胞の内外を分ける生体膜は、
リン脂質が並んで構成されている。
料理中、なにげなく、しめじの軸をふたつに割いてみよう。
"ふたまた軸"をもつしめじは、リン脂質の分子の形に似ている。
カレーとライスの境界線にしめじを整然と並べれば、
カレーライスは突然、細胞内外に変わる。
生体膜にあるさまざまな構造物もカレーの具材でつくろう。

材料 | 2皿分

・炊飯米 ················· 400g	・カレー粉 ··············· 大さじ3
・水煮トマト缶 ········· 1缶 (400g)	・ケチャップ ··············· 大さじ2
・牛豚合いびき肉 ······· 200g	・ウスターソース ······· 大さじ1
・たまねぎ ············· 1/2個	・赤ワイン ··············· 大さじ1
・にんじん ············· 1/2個	・サラダ油 ··············· 適量
・しめじ ············· 1/2株	・しょうが ··············· 1片
・ピーマン ············· 1個	・にんにく ··············· 1片
・ミニトマト ············· 4個	・コンソメ ··············· 1個
・オクラ ············· 1本	・らっきょう ··············· 適量

作り方

1　ピーマンの約1/3を縦方向に切り、へたの部分を半円の形にくり抜く。にんじんは、縦方向に5mm程度の薄さに切ったスライスを1枚作り、さらに真ん中で2分割にする。しめじは1本ずつに分けてから、軸の部分のみ縦半分に裂く（A）。形を崩さないようにしながらフライパンで炒める。

2　オクラをゆで、5mm幅に切る（B）。

3　1で残ったピーマン、にんじん、しめじと、たまねぎ、しょうが、にんにくをみじん切りし、サラダ油をひいたフライパンでしんなりするまで炒める（C）。ひき肉を加え、火が通るまで炒める（D）。

4 水煮トマト、赤ワインを入れ、10分間煮込んだあと、カレー粉、ケチャップ、ウスターソースを加えて味を整え、さらに10分間煮込む（E）。

<u>盛り付け</u>

炊飯米とカレーを半分ずつ皿に盛り、その上に**1**のピーマン、にんじん、しめじ、**2**のオクラ、さらにミニトマトとらっきょうをのせる（F）。

ポイント

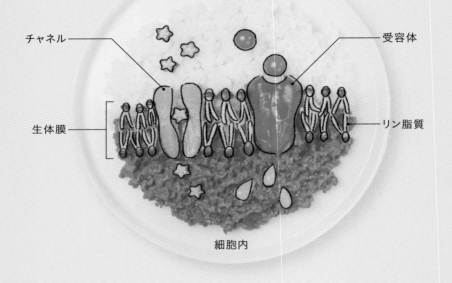

生体膜	細胞や細胞小器官を包んでいる膜。リン脂質でできた二重層が基本構造。
リン脂質	リン酸の頭部と、脂肪酸の尾部2本で構成される。頭部は水となじみやすく（親水性）、尾部はなじみにくい（疎水性）。
チャネル	生体膜を貫通するタンパク質。細胞内外を通じた物質の輸送に利用される。
受容体	細胞膜や細胞内にあるタンパク質。特定の物質と結合することで、情報伝達や分泌などの反応が起こる。

〚 通れるのか、通れないのか 〛

　細胞や細胞小器官を包む膜は生体膜とよばれ、リン脂質でできた二重の層で作られている。リン脂質は、リン酸でできた頭部と、脂肪酸でできた2本の尾部からなる分子だ。それぞれの部分と水との関係は対照的で、頭部は水となじみやすく、尾部はなじみにくい。この相反する性質を備えていることが重要だ。

　想像の中で、たくさんのリン脂質を水に放り込んでみよう。水に入ったリン脂質は、それぞれの頭部が水と接する外側の方向、尾部同士が内側に向かい合う方向になるように並ぶ。この二重の構造が連なってシート状になり、自然に閉じて球体（小胞）になる。生体膜のしなやかさは、細胞内外などの水中の環境下で、脂質二重層の膜が形成されるという原理によってかなえられている。

　生体膜には多数のタンパク質がはめ込まれている。細胞の内外にある物質の出入り口や、情報伝達のスイッチのようなはたらきを持つものもある。それらの構造体には、チャネル、ポンプ、担体、受容体などの種類がある。特定のチャネルからは、水に溶けやすいイオンなどが細胞の中に取り込まれる。受容体では、膜の表面に突き出た受容体の鍵穴の部分に物質が結合する。それをきっかけに膜の反対側で情報伝達の反応が起こったり、化合物が放出されたりする。また、受容体を内蔵するチャネルもあり、特定の物質が受容体部分に結合するとチャネルが開くしくみになっている。

　このチャネルと受容体が、舌の上で味覚を感じるときにもはたらく。味覚の種類は、甘味、塩味、酸味、苦味、旨味、脂味などがあるといわれている。それぞれの味分子が、舌の味蕾という組織にある味細胞に受け取られ、脳への反応経路につながっていく。味分子のうち、甘味、苦味、旨味、脂味はそれぞれの受容体を、塩味と酸味はチャネルを介する。このレシピのカレーに使うミニトマトがとても酸っぱいときは、チャネル側に盛りつけるのが正しいのかもしれない。

体細胞分裂

パリパリおつまみピザ

細胞が分裂して数を増やすことで、からだは成長していく。
細胞の分かれ方はピザを切り分けるような分割のしかたではない。
細胞分裂の過程には一連の流れがあり、
染色体など細胞の構成要素がそれぞれの細胞で
不均一にならないようなしくみがある。
ふだん食べるピザがもし細胞分裂のように均等に分かれたら、
もめごとは起こりにくいだろう。

≫ 料理のつくり方 ─────────────

材料 | 1皿分

- 餃子の皮 ·················· 6枚
- ピザソース ············· 30g
- ドライソーセージのスライス
  （大小）················· 数枚
- 生モッツァレラチーズ ·· 適量
- とろけるタイプのチーズ（細切り）
  ·································· 適量
- 生バジル ················ 適量

作り方

1　餃子の皮1枚をキッチンばさみで半分に切り、楕円形を2枚作る。

2　別の餃子の皮1枚にキッチンばさみで切り込みを入れ、2つの楕円が
　　つながった形に成形する（A）。

3　すべての餃子の皮の上にピザソースを塗る（B）。

4　3にとろけるタイプのチーズをのせる（C）。

5　中火のフライパンで数分間焼く（D）。

盛り付け

焼いたミニピザの上に、成形した生モッツァレラチーズ、ドライソー
セージ、生バジルなどをのせ、大きな皿に盛り付ける（E）。

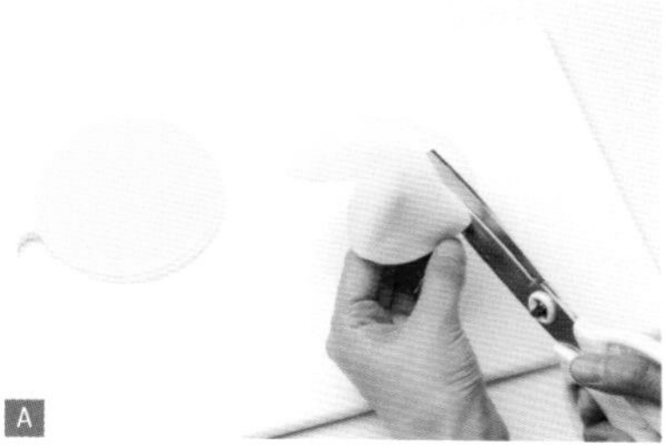
A

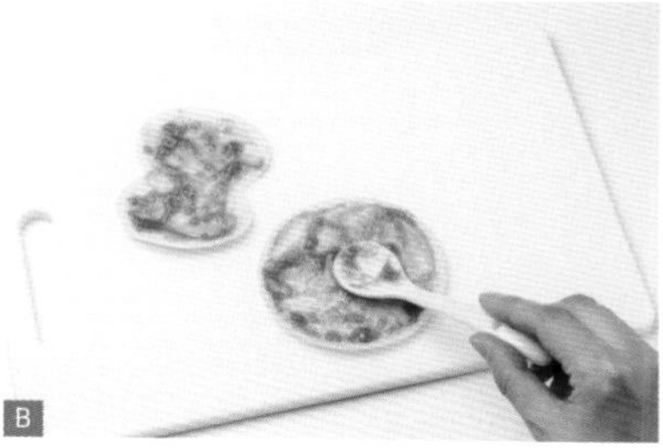
B

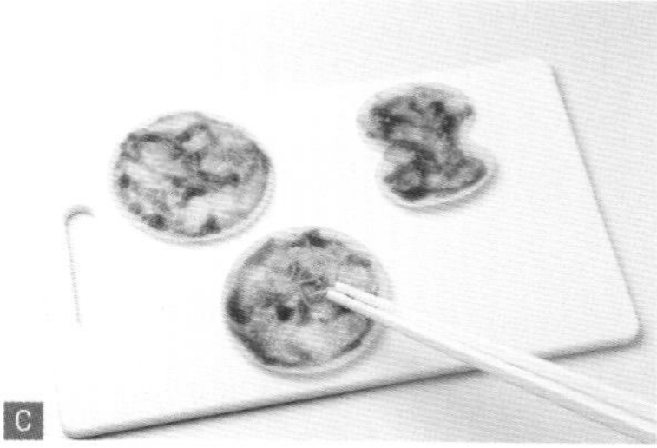
C

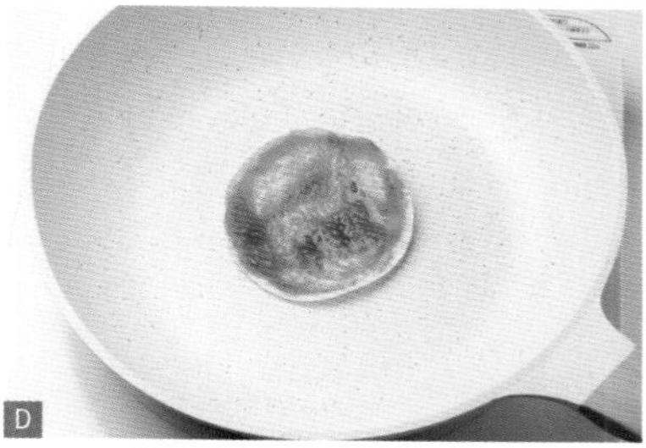
D

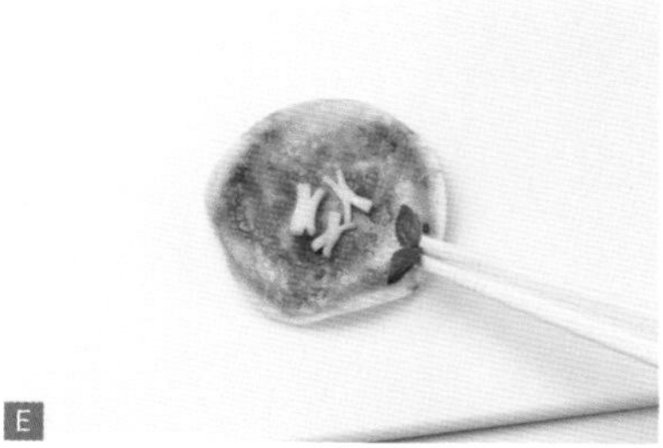
E

≫ かがくの解説

ポイント

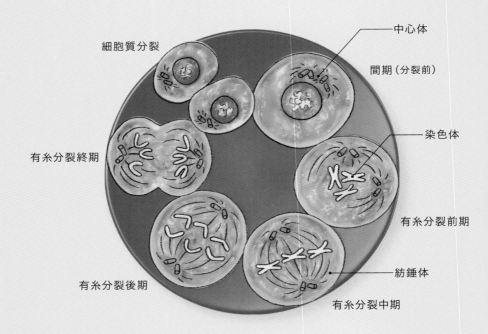

細胞質分裂

中心体

間期（分裂前）

染色体

有糸分裂終期

有糸分裂前期

有糸分裂後期

紡錘体

有糸分裂中期

分裂期	体細胞を増やすために細胞が2つに分裂する期間。有糸分裂（前期、中期、後期、終期）と細胞質分裂からなる。
間期	細胞が分裂期に備えて成長する期間。DNAの複製なども起こる。
染色体	遺伝物質のDNAでできた構造物。
中心体	動物細胞で微小管形成の中心になる構造物。2つの中心小体で構成される。
紡錘体	紡錘糸が集まったもの。紡錘糸は細胞骨格の微小管が細胞の両端から伸びてできる。

［ ふえてるふえてる ］

多細胞生物は成長するために、細胞を分裂させて数を増やし、その細胞を大きくして、さらに分裂させることを繰り返す。この分裂のしかたを体細胞分裂という。細胞分裂に重要な役割を果たすのは、細胞骨格とよばれるいくつかの構造物だ。細胞骨格は細胞の形の維持や形成に関わっている。細胞分裂のときになると凝集して形が変わったり、細胞質の形状を変化させたりする。

分裂期になると、1つの細胞が一連の過程を経て2つに分かれる。分裂期は、染色体が細胞の中で分かれる有糸分裂と、その後に細胞質が分かれる細胞質分裂からなる。さらに有糸分裂は前期、中期、後期、終期などにわけられる。また、細胞分裂の前後の期間には、細胞が成長して必要な材料（タンパク質や細胞小器官など）を蓄えたり、DNAを増やしたりする準備期間がある。この期間は間期とよばれる。動物細胞が分裂するとき、細胞の中では次のような変化が起こっている。

○ 間期（分裂前）

細胞が大きくなる。染色体DNAが複製される。中心体が2つになる。

○ 有糸分裂

前期：染色体が凝集し、特徴的な形になる。2つの中心体は細胞の両極へ移動する。中心体を起点にして細胞骨格の微小管が伸び、紡錘体が形成される。

中期：紡錘糸に付着した染色体が、紡錘体赤道面に平面状に並ぶ。

後期：染色体が分離し、紡錘糸によって両極の中心体の方へそれぞれ引っ張られる。

終期：分離した染色体が両極に分かれる。2組の染色体にそれぞれの核膜が形成される。

○ 細胞質分裂

細胞骨格のアクチンフィラメントとミオシンフィラメントのはたらきにより、細胞質が2つに分割される。細胞が2個できあがる。

ピザのチーズで紡錘体を表すときは、とろけるタイプのものを使うと雰囲気がでる。加熱で伸びる性質には、チーズ中に含まれるカルシウム含量が関わっている。モッツァレラ、チェダー、ゴーダなどをたっぷり使うと、よく伸びる"紡錘体"を味わえる。

クロマチン

ミートボールいっぽんパスタ

DNA鎖はヒストンに巻き付き、
精巧に折りたたまれてコンパクトになり、
クロマチンという構造をとっている。
クロマチンをモデルにしたパスタをつくってみよう。
パスタがDNA鎖、ミートボールがヒストンだ。
DNA鎖を表現するには、とてつもなく長い1本のパスタが必要だ。
そして、クロマチンのすごい収納技を実感するには、
根気と工夫が必要だ。

材料｜2皿分

ミートボール
- 牛豚合いびき肉 ……… 300g
- たまねぎ …………………… 1/2個
- 牛乳 ……………………… 大さじ3
- パン粉 ………………… 大さじ3
- 鶏卵 ……………………… 1個
- 塩 …………………………… 少々
- こしょう ………………… 少々
- ナツメグ ………………… 少々

生パスタ
- デュラムセモリナ粉 … 200g
- 小麦粉（打ち粉用）…… 20g
- 卵 …………………………… 2個
- 塩 …………………………… 少々

作り方

ミートボール

1　パン粉に牛乳をなじませておく。ボウルに
　合いびき肉、たまねぎ、牛乳をなじませた
　パン粉、鶏卵、塩、こしょう、ナツメグを
　入れ、よく混ぜ合わせる（A）。

2　1を6等分にし、丸める（B）。

3　2を200℃に予熱したオーブンで約20分
　間焼く（C）。

A

生パスタ

1　ボウルにデュラムセモリナ粉と塩を入れ、
　混ぜ合わせる。さらに溶いた卵液を加え、
　約10分間よくこね、生地を作る。

2　1をラップで包み、冷蔵庫で30分以上、
　生地を休ませる。

B

3 打ち粉をふった台の上に2の生地をのせ、手で円形にのばす。さらに綿棒を使い、向きを変えながら厚さ数mm程度になるまでのばす（D）。適宜、打ち粉をする。のばしたあと、約10分間おくことで表面を乾かす。

4 キッチンばさみで1本のうずまき状に切り、広げてさらに5分ほど乾燥させる（E）。

5 たっぷりのお湯に塩を入れて沸騰させ、4のパスタをちぎれないように注意して入れる（F）。5分ほどゆで、湯を切る。

盛り付け

皿の上に好きなパスタソースを敷いてから、その上にゆでたパスタをのせる。途中、ミートボールをパスタに2周分からませながら盛り付ける。

≫ かがくの解説

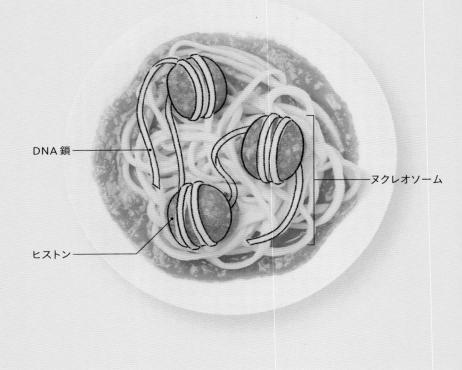

DNA鎖 ——

—— ヌクレオソーム

ヒストン ——

DNA鎖	生物の遺伝に必要なすべての情報を含んだ物質。らせん型の長い鎖のような形状をしている。
ヒストン	円盤状のタンパク質。その構造と静電気的な作用によりDNA鎖がかたく巻き付くことができる。
ヌクレオソーム	DNAがヒストンに巻き付いたもの。ヌクレオソームが集まったものがクロマチン、さらに複雑に凝集したものが染色体とよばれる。

［ 超 収 納 ］

　DNAはからだの情報をすべて書き込んだ本のようなものだ。地球にいるすべての生物の細胞は、遺伝にDNAを使う。膨大な情報のつまったDNAは、核にある染色体に格納されている。染色体をほどいていくとクロマチン繊維とよばれる紐状のものになる。これをさらにほどいたものがクロマチンだ。

　クロマチンを電子顕微鏡で見ると、ビーズをたくさん通した糸のように見える。ビーズに見える部分は、ヒストンという円盤型のタンパク質にDNAが巻き付いたもので、糸に見えるものはDNAだ。1個のヒストンにDNAが巻き付いたものはクロマチンの最小単位で、ヌクレオソームとよばれる。

　とても長いDNAをからませずに収納できたり、必要な部分だけを引き出せたりするのは、クロマチンやヌクレオソームといった構造があるおかげだ。DNAは完全に伸ばしたときと比べて1万倍近く凝縮される。クロマチンの折りたたまれ方は

さまざまあり、変化する。一般的に、転写がさかんな遺伝子の部分はゆるく折りたたまれ、転写が休止している遺伝子の部分は凝集してコンパクトになっている（参照：メニュー11）。

　ヌクレオソームあたりのDNAは約200塩基対あるといわれる。ヒトの第22染色体は約4800万塩基対、DNAの長さを測ると1.5cmになる。DNAの200塩基対おきにヒストンが1つなので、単純に当てはめると4800万塩基対ではヒストンが全部で24万個あることになる。この条件を使って、ヒトの第22染色体をいっぽんパスタでつくってみたらどうだろう。計算してみると、パスタ約62.7km、ミートボール24万個（パスタ26cmおきに1個）くらいになりそうだ。パスタ1本を切るのに62.7km近くも移動するので広大なスペースと忍耐が必要だが、クロマチンがうまく作れれば6.27mにまとまる。盛りつけはかなりコンパクトにできそうだ。

DNAの複製

ポップなポテトサラダ

DNAの二重らせん構造を瞬時につくれるすごい調理器具がある。
日本料理で大根やにんじんをくり抜くのに使う「たずな抜き」だ。
この道具を手に入れたら、二重らせんを一本鎖に解体して
DNAの複製をシミュレーションしてみよう。
くり抜いた残りの食材も、きざんでポテトサラダに入れれば、
カラフルでおいしいポテトサラダが楽しめる。

材料 | 1皿分

- じゃがいも …………… 3個
- たまねぎ …………… 1/2個
- にんじん …………… 1/2本
- きゅうり …………… 1/2本
- 魚肉ソーセージ ……… 1本
- マヨネーズ …………… 大さじ5
- 塩 …………………… 少々
- こしょう ……………… 少々

作り方

1　じゃがいもの皮をむき、柔らかくなるまでゆで、あたたかいうちにつぶす（A）。

2　たまねぎをみじん切りにし（B）、500Wの電子レンジで約1分間加熱する。加熱後、たまねぎの水気をしぼる。

3　魚肉ソーセージ、にんじん、きゅうりを約5cmの長さに切り、その中心をたずな抜きでくり抜く（C）。

4　たずな抜きした具材をひねりながら解体し、1本ずつのらせんにする。それぞれのらせんを使い、二重らせんをつくる（D）。

5　3のたずな抜きでくり抜いたあとに残った具材を粗みじんにする（E）。

6　ボウルに1のじゃがいも、2のたまねぎ、5の具材を入れ、マヨネーズ、塩、こしょうを加えて味をととのえ、ポテトサラダを作る（F）。

盛り付け

ポテトサラダを皿に平たく盛り、その上に二重らせんにした具材を並べる。

ポイント

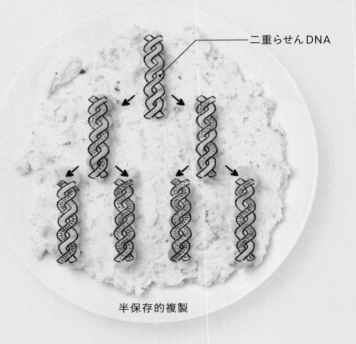

二重らせんDNA

半保存的複製

二重らせんDNA	一般的な立体構造である二重らせんの形のDNA。2本のヌクレオチド鎖がらせん状に合わさっている。
半保存的複製	DNAが複製されるときの様式。1つのDNAから同じ遺伝情報のDNAが2つできる。

[[ほどけふえ、よりよりあえ]]

分裂期が終わると、細胞は次の分裂に備えて大きくなるための期間（間期）に入る。DNAの複製は、その期間に核の中でおこなわれる重要なプロセスだ。細胞分裂によってできる2つの細胞の遺伝情報は同じものでなければならない。DNAは正確なコピーを作るようにして増える。

DNAは基本的に二重らせんの立体構造で存在している。これは2本の鎖がより合わさって右巻きのらせんを形成しているというものだ。DNAが複製されるときには、二重らせんがほどける。ほどけた鎖には、対になる塩基を持つヌクレオチドが次々とつながり、らせん状に新しい鎖を作っていく（参照：メニュー10）。結果、新しくできた鎖は、もとになる鎖がほどける前により合わさっていた鎖と同じ塩基配列になる。つまり、二重らせんのDNA鎖1つから、それと同じ遺伝情報をもつ二重らせんが2つできることになる。この複製のしかたは、半保存的複製とよばれる。

半保存的複製が発見された実験は、「生物学で最も美しい実験」といわれている。原理はとてもシンプルだ。細菌が増えるとき、培地の窒素を新しいDNAの材料にする性質を利用し、重さの異なる窒素を使って実験した。まず、^{15}N（重い窒素）DNAを持つ細菌を、^{14}N（軽い窒素）を含んだ培地で育てた。分裂してできた次世代の細菌は、DNAの重さが^{15}Nと^{14}Nの中間になった。さらに次の世代の細菌では、DNAの重さが中間のものと^{14}Nとで1:1の割合になった。これで、DNAが半保存的に複製されることが証明された。

DNAの二重らせんの形を見事に表現できるものが、日本料理の調理器具にある。たずな抜きという道具で、おもに大根やにんじんなどの野菜をくり抜くときに使う。名前のとおり、らせん状にねじれた綱のようにくり抜くことができる。すごいことに、右巻きの方向まで再現できる。

DNAの塩基

TAG CAT ACT クッキー

DNAの塩基は、
アデニン（A）とチミン（T）、グアニン（G）とシトシン（C）が
それぞれ水素結合で結ばれている。
このペア同士の絶妙なマッチングが、
DNAの構造や遺伝に深く関わっている。
この塩基対を「タグをつけた猫たち」のクッキーでつくろう。
タグの猫（TAG CAT）とは、いったい何なのか？
猫たちの奇妙な動作（ACT）とは？

≫ 料理のつくり方

材料 | 1皿分

- ・小麦粉（薄力粉） ……… 150g
- ・グラニュー糖（細目）
  …………………………………… 50g
- ・バター ……………………… 80g

- ・鶏卵 …………………………… 1/3個
- ・フレーバーパウダー
  （にんじん、かぼちゃ、ほうれんそう、
  ココア） ……………… 各小さじ2

作り方

1　小麦粉、グラニュー糖、バター、鶏卵を
　合わせ、生地がなめらかになるまで混ぜ
　る（A）。

2　生地を5等分にして、そのうちの4つにそ
　れぞれ別のフレーバーパウダーを入れ、
　よく混ぜる（B）。生地を冷蔵庫で30分～
　1時間冷やす。

3　冷蔵庫から生地を取り出し、フレーバー
　パウダーを入れた4種の生地で猫型の顔
　と胴体（A、T、G、Cの刻印をそれぞれに入れ
　る）を作る。AとTの胴体生地は両手2本
　が横に、GとCの生地は両手と片足の計
　3本が横に、平行に突き出るよう成形する
　（C）。

4　フレーバーパウダーを入れていない生地
　でタグ状の形を4つ作る。

5　3と4を170℃で予熱したオーブンで、5
　～10分間焼く（D）。

かがくを料理する

盛り付け

AとT、GとCの胴体クッキーを、その手足の位置が対応するように、逆向きの向かい合わせに置く。ひもをつけたタグ型クッキーをそれぞれの首にかけるように配置し、最後に顔クッキーをのせる。

≫ かがくの解説

ポイント

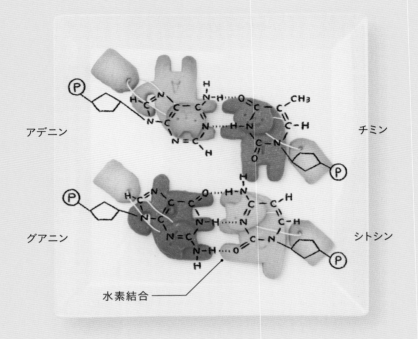

アデニン

グアニン

チミン

シトシン

水素結合

ヌクレオチド	DNAやRNAを構成する物質。塩基、五炭糖、リン酸でできている。
アデニン (A)、チミン (T)、グアニン (G)、シトシン (C)	DNAの塩基の種類。またはその塩基をもつヌクレオチドのことを指す。AとT、GとCがそれぞれ結合する。
水素結合	塩基同士の結合様式。AとTは2つ、GとCは3つの箇所で水素結合する。

　　　　　かがくを料理する

［ ピッタリパーフェクトペア ］

DNAという"レシピ本"には、ヌクレオチドという"文字"が連なっている。ヌクレオチドは、デオキシリボースという糖とリン酸と塩基からなる。塩基にはアデニン（A）、チミン（T）、グアニン（G）、シトシン（C）の4種類がある。AはT、GはCと複数の水素結合によって、それぞれ対になる（相補的塩基対）。塩基のシンプルな違いが、DNAの美しいらせん構造と遺伝のしくみを作り出すことにつながっている。

DNAは通常、二重らせんの形で存在している（参照：メニュー09）。それぞれの鎖はヌクレオチドの糖がリン酸基を介して共有結合し、長い鎖のように連結したものだ。DNAの2本の鎖の間では、AはTと2カ所、GはCと3カ所の部分で、パズルをうまくはめるように水素結合する。二本鎖はらせん状の立体構造になる。

水素結合は強い結合ではなく、外れやすい。そのため、DNAの二本鎖は条件により部分的にほどける。鎖が1本になった部分では、らせんの内側に隠れていた塩基配列が露出し、情報が読み取れるようになる。DNA上にある、連続した塩基3つの並び方は細胞がタンパク質を作るための暗号になっている（参照：メニュー11、メニュー12）。このメニューの名前「TAG CAT ACT」は塩基配列のようにみえる。それぞれの3塩基からどのアミノ酸ができるのか暗号を読むと、TAGはイソロイシン、CATはバリン、ACTはアミノ酸合成の終了の合図だ。このクッキーもペア同士を並べたところで無事つくり終わる（※本来はmRNAの塩基3組が正式な暗号）。

ところで、DNAの二重らせん構造を猫型クッキーで表せるだろうか。まず、猫が次の猫のタグをかみしめて強い結合を作り、何匹もつながる。その向かいに、ペアの塩基の猫が上下逆向きになり手足を2〜3カ所くっつける。2列ができていくごとに猫たちはらせん状に回転していく、という迫力のあるお菓子になるだろう。

DNAの塩基 × TAG CAT ACT クッキー

転写

ハンバーグステーキ・野菜のせ

定番レシピのハンバーグとつけあわせ野菜も
変わった形や盛りつけ方で、違う一皿になる。
細胞はDNAの決まったレシピをもとにさまざまなタンパク質を作る。
転写はその過程の第一段階だ。
DNAを書き写した直後のmRNAには、
そのあとに残される部分と省かれる部分がある。
2つの部分を違う種類のいもでつくると、
わかりやすい上においしくなる。

≫ 料理のつくり方

材料 | 1皿分

トッピング

- じゃがいも ················· 1個
- さつまいも ················· 1/2本
- 牛乳 ·························· 60ml
- たまねぎ ···················· 1/4個
- にんじん ···················· 1/4本
- 片栗粉 ······················ 大さじ2
- 紫芋パウダー ·············· 5g
- サラダ油 ···················· 少々

ハンバーグ

- 牛豚合いびき肉 ········· 300g
- 鶏卵 ·························· 1個
- 牛乳 ·························· 40ml
- パン粉 ······················ 30g
- たまねぎ ···················· 1/4個
- サラダ油 ···················· 適量
- 塩 ···························· 小さじ1/3
- こしょう ···················· 少々
- ナツメグ ···················· 少々

作り方

トッピング

1　じゃがいも、さつまいもの皮をむき、500Wの電子レンジでそれぞれ約5分間加熱後、あたたかいうちにつぶす。それぞれに牛乳30mlと片栗粉大さじ1を入れ、さつまいもにはさらに紫芋パウダーを加えて混ぜる（A）。

2　1をそれぞれ絞り袋にいれ、クッキングシート上に絞り出し（B）、180℃のオーブンで約3分間焼く。

3　にんじんをかつらむきしたあと、斜めに細切りし、菜箸に巻いて「よりにんじん」（らせん状になる飾り切りの一種）にする（C）。

4　たまねぎを輪切りにし、サラダ油をひいた
　　フライパンでかるく焦げ目が付くまで焼く
　　（D）。

ハンバーグ

1　たまねぎをみじん切りにし、サラダ油をひ
　　いたフライパンできつね色になるまで炒
　　める。

2　パン粉を牛乳に浸しておく。ボウルに合
　　いびき肉、塩を入れ、粘りが出るまでよく
　　練り混ぜる。1の炒めたたまねぎと、牛乳
　　に浸したパン粉、鶏卵、ナツメグ、こしょ
　　うを加え、さらによく混ぜ合わせる。

3　2のハンバーグたねを、空気を抜きながら
　　成形する（E）。

4　フライパンにサラダ油を入れて熱した後、
　　成形したハンバーグたねを中火で約5分
　　間、焼き色がしっかりつくまで焼く。裏返
　　し、裏側にも焼き色がつくまで3分ほど焼
　　く（F）。ふたをして弱火にし、約8分間蒸
　　し焼きにする。

盛り付け

ハンバーグを器に盛り、各トッピングをの
せる。お好みでハンバーグソースを添え
る。

ポイント

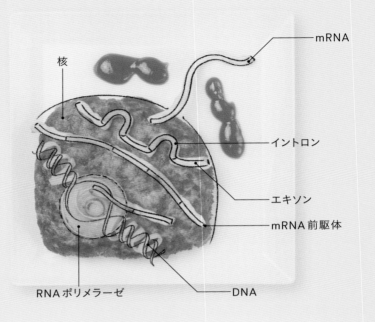

核

mRNA

イントロン

エキソン

mRNA 前駆体

RNA ポリメラーゼ

DNA

転写	核内でDNAの塩基配列をもとにmRNAが合成される過程のこと。
mRNA前駆体	翻訳に渡るmRNAができる前の、余分な配列があるRNA鎖。
RNAポリメラーゼ	DNAからmRNAを合成する酵素。
エキソン	タンパク質合成に使われる塩基配列。
イントロン	タンパク質合成に使われない塩基配列。スプライシングの過程で切り取られる。
mRNA	メッセンジャーRNA。DNAから転写され、タンパク質合成の情報を運ぶ。

［ 写しとれ！そのDNA ］

タンパク質を作るための遺伝子のレシピは、DNA上に暗号で書かれている。転写の過程ではDNAからレシピの部分を抜き出し、暗号を解読できるかたちにする。

まず、DNAの遺伝情報は、RNAというDNAとは別のヌクレオチド鎖に書き写される。RNAのヌクレオチドはDNAと似ているが、化学的な2つの部分が異なる。構成成分の糖が違うこと（DNAはデオキシリボース、RNAはリボース）と、塩基の1種類が違うこと（DNAにはチミン、RNAにはウラシルがある）だ。

そこから生まれる大きな構造上の違いは、RNAが一本鎖で存在することだろう。DNAが二重らせん構造で遺伝情報を保存するのに対し、RNAはさまざまな形やはたらきを持つ。転写や翻訳に関わるmRNAのほかにも数種のRNAがあり、それぞれに異なる機能がある。

転写は核の中でおこなわれる。真核生物ではRNAポリメラーゼという酵素のはたらきで、DNAの一部からmRNA前駆体が合成される。mRNA前駆体の塩基配列には、タンパク質の翻訳に使われないイントロンという部分が含まれている。イントロンに挟まれるようにエキソンという部分があり、この部分が翻訳領域になる。イントロンは投げ縄のようなかたちになり、切り取られる。この過程をスプライシングという。一見、手間がかかるようにみえるスプライシングは、元のDNA配列よりも多くの遺伝情報を得るための合理的な方法だ。スプライシングで転写の起点や終点、エキソンの組み合わせなどを変えることで、ひとつの遺伝子からいろいろなタンパク質を合成することができる。

転写の過程には精密で理にかなった手順がある。ハンバーグはひき肉を混ぜて形を整え、焼くというシンプルな手順でできるが、その途中にも卵を混ぜたり、香味野菜を加えたりという細かい工程がある。必要な手順を工夫したり、オリジナルの工程をつくったりできるのは、料理の自由で楽しいところだ。

翻訳

プロテインパンケーキフルーツのせ

翻訳ではmRNAの情報がアミノ酸に変換され、
タンパク質が合成される。転写に続く段階だ。
mRNAに取り付いたリボソームの中で、
アミノ酸が次々とつなげられタンパク質はできあがっていく。
お腹が空いているときは、巨大な転写ハンバーグのあと、
デザートに翻訳プロテインパンケーキ、
という "タンパク質フルなコース" はどうだろう。

材料 | 1皿分

- 大豆粉 ················· 40g
- 牛乳 ···················· 70ml
- バナナ ················· 1/2本
- 鶏卵 ···················· 1個
- 砂糖 ···················· 10g
- サラダ油 ············· 適量

- ベーキングパウダー
  ····················· 5g
- ベリー類 (いちご、ブルーベリー、ラズベリー、ブラックベリー、クランベリーなど) ········· 適量
- アーモンド ············· 適量

作り方

1 ボウルに大豆粉、砂糖、ベーキングパウダーを入れて混ぜ合わせ、さらに牛乳、鶏卵を加えてよく混ぜる(A)。

2 サラダ油をひいたフライパンに、1の生地1/2強の量を流し入れ、弱火で両面をじっくり焼く(B)。残りの生地も同様に焼く。

3 バナナを縦半分に切る(C)。

盛り付け

大小のパンケーキを上下に一部分が重なるように皿に置く。重なった部分に3のバナナ1/2本をのせ、アーモンドやベリー類を盛り付ける(D)。お好みでメープルシロップをかける。

ポイント

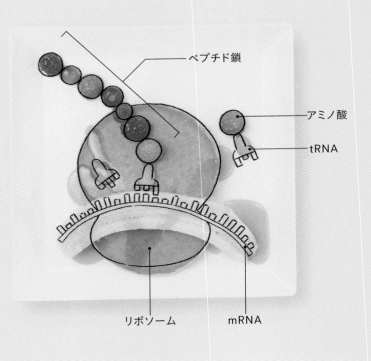

ペプチド鎖

アミノ酸

tRNA

リボソーム　　　　mRNA

翻訳	細胞質でmRNAの塩基配列をもとにタンパク質が合成される過程のこと。
tRNA	運搬RNA。mRNA上の3塩基（コドン）と対になる3塩基（アンチコドン）配列をもち、コドンが指定するアミノ酸を結びつける。
rRNA	リボソームRNA。rRNAとタンパク質でリボソームは構成される。
リボソーム	翻訳がおこなわれる場所。大小2つのサブユニットからなる。
ペプチド鎖	アミノ酸がつながったもの。合成途中のタンパク質。

〚 どんな注文!? 〛

　タンパク質合成のレシピが書かれたmRNAは、核膜孔から核の外に放出される。細胞質に出たmRNAにリボソームが結合し、そこでタンパク質合成が開始される。タンパク質が合成される過程は、翻訳とよばれる。転写に続く翻訳の過程では、mRNAのほかにもtRNAやrRNAが関わっている。

　このメニューのパンケーキ上には表されていないが、翻訳ではmRNAとtRNAの塩基配列を照らし合わせる過程がある。mRNAの塩基配列は、連続した3塩基（コドン）が1組のグループとして解読される。tRNAにはmRNAのコドンと対になる3塩基（アンチコドン）が並んでいる部分があり、さらに、tRNAの頭部には3塩基の配列に対応する特定のアミノ酸が結合している。このシステムで、mRNAの"注文票"をtRNAが照合し、注文どおりのアミノ酸を差し出せるようになる（参照：メニュー10）。

　リボソーム内に入ったmRNAは、一方向に中を通り抜ける。それにつれて、リボソームの別の部位に結合したtRNAがひとつずつ照合される。mRNAとtRNAの配列が結びつくと、tRNAの頭部についていたアミノ酸は翻訳済みのアミノ酸と結合し、tRNAから離れる。

　アミノ酸は数珠つなぎにつながり、ペプチド鎖となって伸長しながらリボソームから出ていく。すべての翻訳が終わると、DNAの遺伝情報をもとにしたタンパク質ができあがる。遺伝子の情報がDNAからRNA、RNAからタンパク質へと渡っていく精巧でダイナミックな流れは、セントラルドグマとよばれる。

　このプロテインパンケーキには、タンパク質が豊富な大豆の粉が使われている。大豆は加工特性に優れた食材で、昔から醤油や味噌、豆腐、豆乳、納豆、きな粉など多種多様な加工食品に作り変えられてきた。肉にそっくりの食材も作れる。大豆は、"翻訳"されやすい食品といえるかもしれない。

血液と免疫細胞

カオスなあんみつ

丸く平たく中央がへこんだ赤血球の形は、
あんみつの白玉の形にそっくりだ。
赤い白玉の赤血球ができたら、ほかの細胞は何にしよう?
血液の中はさまざまな細胞でにぎやかだ。
生体防御のはたらきをする白血球は、
あんみつに欠かせない寒天ではどうだろう。
好中球やリンパ球もつくり分けることができる丸い寒天作りに
チャレンジしてみよう。

（ 材料 ｜ 1杯分 ）

白玉
・白玉粉 ……………………… 50g
・食用色素（赤色）……… 少々

求肥
・白玉粉 …………………… 25g
・上砂糖 …………………… 40g
・片栗粉 …………………… 適量
・食用色素（緑色）……… 少々

きび砂糖シロップ
・きび砂糖 ……………………… 100g

寒天
・寒天 ……………………… 4g
・シロップ漬けフルーツ
　（みかん、黄桃、白桃）… 適量
・こしあん ……………… 適量
・芥子の実 …………………… 少々

その他の具材
・こしあん ……………… 適量
・干しあんず ………… 1個
・赤えんどう豆 ………… 適量

（ 作り方 ）

白玉

1　白玉粉に水50mlを少しずつ加えてこね
　る。赤色の食用色素で色をつける。小さ
　な球体に丸めた後、かるくつぶして中央
　をくぼませる（A）。

2　沸騰したお湯の中でゆでる。鍋の上に浮い
　てきたら取り出し、冷水の中で冷やす（B）。

求肥

1　耐熱ボウルに白玉粉を入れ、水50mlを
　少しずつ加え、だまにならないようによく
　混ぜてから、砂糖を加えてさらに混ぜる。
　緑色の食用色素で色をつける（C）。

2 ボウルにラップをして、500Wの電子レンジで約1分間加熱し、ぬらしたヘラで混ぜる。さらに、約1分間レンジで温め、再度混ぜる。

3 半透明になってつやが出たら、表面に片栗粉を薄くまぶし、成形する（D）。

寒天

1 耐熱ボウルに寒天と水500mlを加える。電子レンジで加熱し、取り出してかき混ぜることを繰り返し、寒天を完全に溶かす（E）。

2 球体用の型に溶かした寒天を注ぐ。1つの型につき、シロップ漬けフルーツを1種類ずつ、もしくはこしあんと芥子の実を両方入れる（F）。

3 冷蔵庫内で30分以上冷やし、寒天を固める。

きび砂糖シロップ

1 鍋にきび砂糖と水60mlを入れ、弱火で加熱する。

2 焦げ付かないようによく混ぜ続け、アクを取り、透き通ったら火を止める。

盛り付け

冷やしたきび砂糖シロップを器に入れる。その中に、白玉、求肥、寒天、干しあんずをのせたこしあん、赤えんどう豆を盛り付ける。

血液と免疫細胞 × カオスなあんみつ

ポイント

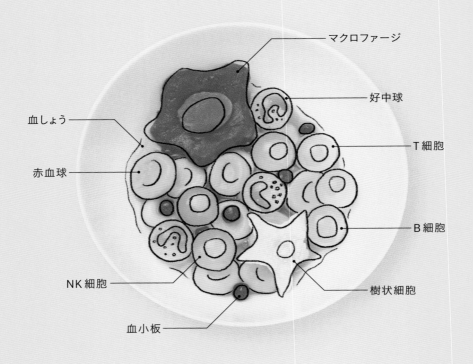

マクロファージ

好中球

血しょう

赤血球

T 細胞

B 細胞

NK 細胞

血小板

樹状細胞

赤血球	血管内を移動し、体中に酸素を運ぶ。赤色の円盤型で中心がくぼんだ形をしている。
白血球	身体の防御機能に関わる。顆粒球（好中球、好酸球、好塩基球）、単球（マクロファージ、樹状細胞になる）、リンパ球（T 細胞、B 細胞、NK 細胞）の3種類に分類される。
血小板	血液を凝固させることで、止血作用に関わる。
血しょう	血液から血球を除いたもの。主成分の水分のほか、タンパク質などの物質を含んでいる。浸透圧の維持や免疫反応などに関わる。

〚 あれもこれも活躍 〛

赤血球はヘモグロビンというタンパク質を含んでいる。血液が赤いのはヘモグロビンが赤い色素成分をもつためだ。ヘモグロビンには鉄を含む分子があり、その鉄分子には酸素が結合する。赤血球はこの酸素を体中に運ぶ。赤血球は平らな円盤型で中央がくぼんでいる。このくぼみで表面積が大きくなり酸素をより多く運ぶことができるといわれる。その形状は白玉に例えられることもある。ちなみに、白玉のくぼみは中心部の火の通りを良くするのが目的だ。

白血球は異物からの防御機構や免疫反応に関わることで体を守っている。白血球には多くの種類があるが、顆粒球（好中球、好酸球、好塩基球）、単球（各組織でマクロファージや樹状細胞になる）、リンパ球（T細胞、B細胞、NK細胞）の3分類に区別できる。ある種の白血球は血管を通って感染源があるところまで移動すると、病原菌や異物を細胞内に取り込むように排除する。これは食作用とよばれる。

血小板は血液の凝固に関わる。ふだんは丸い形をしているが、血管に傷がついたときなどは、互いに凝集したり傷口に付着したりして、血栓を作り血管をふさぐ。

血しょうは血液から血球成分を除いた液体のことをいう。水が主成分で、血液凝固因子、免疫グロブリン、血液の浸透圧に関わるアルブミンなどのタンパク質のほか、ブドウ糖、脂質、無機質など、さまざまな成分が含まれる。

血液にかぎらず、体の組織はいろいろな種類の細胞で構成されている。細胞には基本の構造があり（参照：メニュー01）、それぞれの特性を持った細胞になることを分化という。

あんみつは、あんこがみつ豆（みつ、赤えんどう豆、寒天）に加えられたものが基本になる。さらに、そこへ白玉や果物などを入れることが多いが、あんこの種類を変えたりアイスクリームを入れたりと、多彩なバリエーションをつくることができる。基本のかたちをもとに多様性が生まれるところは、細胞の分化に似ているかもしれない。

血液と免疫細胞 × カオスなあんみつ

ニューロン

いかつくね串

遠い宇宙のニュローン星から来た
生物に見えるこの料理は、私たちの体の中にある
神経細胞(ニューロン)をモデルにした料理だ。
ニョロニョロと何本も伸びる突起と特別なしくみがある長い突起で、
ニューロンはたくさんの情報を
正しく速く遠くまで伝達することができる。
さらにニューロンとイカには、切っても切れない深い関係がある。

≫ 料理のつくり方 ───────

材料 | 1皿分

・するめいか ················· 2杯
・鶏むねひき肉 ··········· 100g
・片栗粉 ···················· 大さじ1
・しょうが ····················· 1片
・青じそ ························ 2枚

・酒 ···························· 小さじ1
・サラダ油 ···················· 適量
・塩 ······························· 少々
・こしょう ····················· 少々
・ねり梅 ························· 少々

作り方

1 するめいかの胴を縦に切ってワタと軟骨
を取り、エンペラを取って皮をむく。ゲソ
の吸盤を包丁でこそげとる。胴の半分は
横3〜4cmの幅に、ゲソは5cm程度の長
さに切る（A）。

2 残りの胴、エンペラ、ゲソの残りはひと口大
に切り、ミキサーに粗くかける（B）。

3 青じそは水でかるく洗い、水気をとったあ
と、縦半分に切る（C）。しょうがはすりお
ろしておく。

4 2のいかミンチに鶏むねひき肉と片栗粉、
すりおろしたしょうが、酒、塩、こしょうを
加え、ミキサーで混ぜ合わせる。

5 4の一部を平たく成形し、ゲソを5本程度
周りに刺す。サラダ油を熱したフライパン
で2〜3分ずつ両面を焼く（D）。焼いたあ
と、中心部にねり梅をのせる。残りのゲソ
も焼いておく。

A

B

6 ラップの上に、1のいかの胴部分の切り
身、青じそ、4を順番にのせ、いかを巻き
込みながら俵状にして、ラップで包みこ
む（E）。500Wの電子レンジで、いかが
白くなり火が通るまで加熱する。加熱中、
いかは破裂しやすいので、注意しながら
30秒〜1分ごとに様子をみる。

盛り付け

ラップを外したいかロール複数個を串に
通してから、串の先に5で焼いたいかミン
チを刺す（F）。皿に盛り、串の持ち手の部
分にゲソを添える。

≫ かがくの解説

ポイント

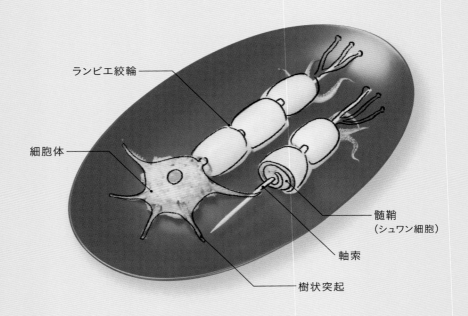

細胞体	ニューロンの核が存在する部分。ここから樹状突起や軸索が突き出ている。
樹状突起	細胞体から伸びる細かく枝分かれした突起。外からの信号を受け取る。
軸索	細胞体から伸びる細長い軸状の突起。電気的な信号を一方向に伝える。
髄鞘	シュワン細胞が軸索にぐるぐると巻きついた構造物。絶縁体の役割を果たす。
ランビエ絞輪	髄鞘と髄鞘の間で、軸索がむき出しになっている部分。

［ 電気ネットワーク ］

神経系の情報伝達には神経細胞であるニューロンがはたらく。ニューロンは細胞外から入力された刺激を受け取り、情報として伝え、処理する。たとえば、舌などで受け取られた信号はニューロンを伝って脳に届けられ、おいしい感覚として情報処理される。また、別のニューロンが信号を伝達することで口の筋肉を動かし、「おいしい」と発することができる。

ニューロンは特殊な構造をしている。細胞自体の大きさなどはさまざまだが、枝分かれした樹状突起と細長い軸をもつ。この特徴のおかげで外部からの情報を正確に受け取って、離れたところにまで伝えることができる。樹状突起から集められた情報は、軸索を通って軸索の末端（神経終末）の方へ、一方向に進む。ニューロンに受け取られた刺激は、細胞内で電気的な信号に変換され、高速で伝わる。しかも、ニューロンの軸は、単純に電流が流れていくような方法ではなく、さらに速く伝えるしくみを備えている。それには髄鞘という、もうひとつの特徴的な構造

が関わっている。髄鞘は、電気を通しにくい性質をもつ。軸索を通る電流は、髄鞘と髄鞘の間（ランビエ絞輪）を飛び石を踏むように伝えられる。軸索がある神経（有髄神経）は、無い神経（無髄神経）にくらべて、情報伝達が50倍ほど速い。

調理では、感覚神経がフル活用される。皮膚で食材の感触を判断したり、目や耳で火の通り具合をみたり、鼻や舌でにおいと味を確認したりする。それぞれ別の受容器から入ってくる刺激は、すべて電気的な信号としてニューロンを通り脳に伝わる。

さて、ニューロンといえばイカである。イカは巨大軸索をもっている。ヤリイカの軸索は直径1mm前後で、これはヒトの数百倍にもなる。イカの大きな神経は、古くから神経科学の重要な研究材料になり、過去にはノーベル賞を受賞するような結果の発見にもつながった。いかつくねを作るときも、慎重にイカをさばけば巨大軸索が発見できるかもしれない。

サルコメア

ダブル厚焼き玉子サンドイッチ

筋肉の伸び縮みは、
筋肉を構成する太いミオシンフィラメントの先が、
細いアクチンフィラメントを引き寄せることで起こる。
調理は全身のリズム運動だ。卵を丁寧にかき混ぜるとき、
フライパンの卵焼きを勢いよく返すとき、パンをそっと薄切りするとき、
パンに具材を慎重にはさむとき、自分の筋肉に集中しよう。
アクチンとミオシンが動いている。

≫ 料理のつくり方

（材料｜1皿分）

- ・4枚切り食パン（厚さ約3cm）
  ・・・・・・・・・・・・・・・・・・・・・・・・・・・・ 2枚
- ・鶏卵 ・・・・・・・・・・・・・・・・・・ 6個
- ・マヨネーズ ・・・・・・・・・・・・・・・ 大さじ2

- ・牛乳 ・・・・・・・・・・・・・・・・・・・・ 100ml
- ・粒マスタード ・・・・・・・・・・・・・・ 適量
- ・サラダ油 ・・・・・・・・・・・・・・・・ 適量

（作り方）

1　鶏卵に牛乳、マヨネーズを入れ、卵白を切るように混ぜる。卵焼き用
　　フライパンにサラダ油をひき、厚さ2〜3cmほどの厚焼き玉子を2つ
　　作る（A）。粗熱が取れるまで、約1時間おく。

2　食パンを約1cmの厚さにスライスするよう、2カ所に切りこみを入れ
　　ていき、1辺の耳の手前まできたら止める。切れ目のある3辺の耳を
　　切り落とす（B）。もう1枚の食パンも同じように成形する。

3　厚焼き玉子の端の両面に粒マスタードを塗り、食パンの切り込み1カ
　　所につき1つずつ挟む（C）。反対の端も同様に粒マスタードを塗り、も
　　う1枚の食パンで挟む。2の食パン2枚で1の厚焼き玉子2個を両側
　　から挟みこむようにする。

4　サンドイッチの中心を長軸方向で切り、2等分にする（D）。

盛り付け

2等分にしたサンドイッチを切れ目が上になるように皿にのせる。1つ
のサンドイッチの食パンを両側から長軸方向にすこしずつ引き、ずらす。

サルコメア × ダブル厚焼き玉子サンドイッチ

ポイント

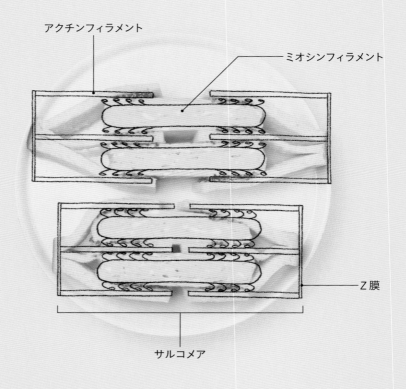

アクチンフィラメント

ミオシンフィラメント

Z膜

サルコメア

サルコメア	筋肉の収縮・弛緩のための最小単位で、Z膜とZ膜の間の構造を指す。ミオシンフィラメントとアクチンフィラメントで構成される。
ミオシンフィラメント	ミオシンというタンパク質が集まって繊維状になった構造物。ミオシンは頭部に特徴的な突起をもつ。
アクチンフィラメント	アクチンというタンパク質が集まって繊維状になった構造物。

〚 これで力持ち！ 〛

筋肉には横紋という、横しま模様のように見える構造がある。横紋があるのは骨格筋や心筋で、消化管や血液壁の筋肉にはない。ふだん食肉として食べているものは、おもに骨格筋だ。

骨格筋をミクロの目で見ると、セーターをほどくように次々と小さな単位に分解できる。まず、筋肉の筋線維束をバラバラにすると筋線維になる。筋線維はさらに細い筋原線維が集まったものだ。この筋原線維は、おもにアクチンフィラメントとミオシンフィラメントを編み合わせたようにしてできている。アクチンフィラメントとミオシンフィラメントはそれぞれアクチンとミオシンというタンパク質に分解できる。アクチンとミオシンからなる、筋肉を収縮・弛緩するための最も小さな単位にはサルコメアという名前がついている。

骨格筋の繊維のしま模様に見えたものは、よりクローズアップすると、しまの明るい色と暗い色の部分はサルコメアの繰り返しでできていたことがわかる。

骨格筋の多くは対になっていて、片方の筋が収縮すると引っ張り合いをするように対の筋が弛緩する。

筋肉が収縮するとき、サルコメアでは何が起こっているのか。まず、ミオシンフィラメント両端の表面に並んだミオシンの突起物がアクチンフィラメントに結合する。突起物はレバーを引くように曲がり、アクチンフィラメントを滑らせて引き寄せる。2種のフィラメント同士はより重なり合い、サルコメアの長さは短くなる。収縮が終わると、ミオシンはアクチンフィラメントとの結合を解き、筋肉は弛緩する。

このメニューでは、食パンをつかんで厚焼き卵から少しずらす、という最後の過程がポイントだ。薄い食パンを破ってしまえば、それまでの苦労が水の泡になる。食パンを慎重につかんでいる指と、重い厚焼き卵を支えている腕は、思わず緊張し力が入る。このサンドイッチを作り終えたとき、自分の筋肉もほっとしてゆるむことだろう。

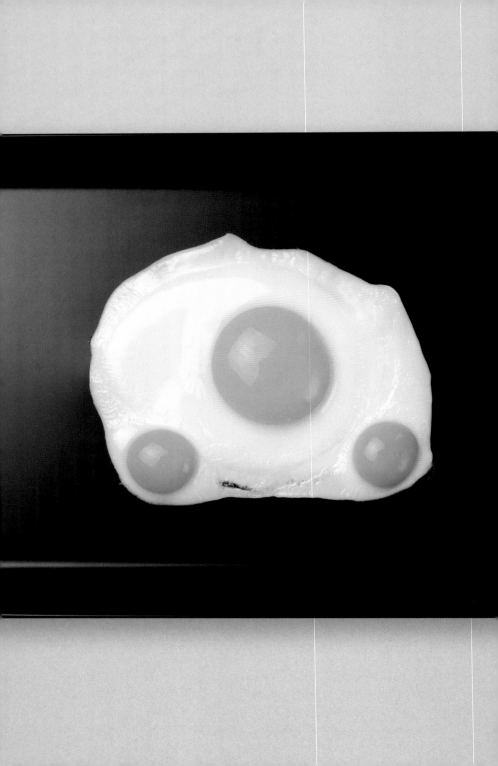

水分子

2種の卵の目玉焼き

水分子は1つの酸素原子 (O) と
2つの水素原子 (H) からできている。
酸素は鶏卵、水素はうずらの卵で、
目玉焼きの水分子モデルをつくってみよう。それぞれの卵黄が原子だ。
卵を割り入れるときは、卵黄の位置に注意しよう。
H-O-Hの角度を104.5°にするのが重要だ。
場合によっては、卵白が電子雲に見えてくるかもしれない。

≫ 料理のつくり方 ─────

材料 | 1皿分

・鶏卵 ……………………… 1個
・うずらの卵 ……………… 2個
・サラダ油 ………………… 適量

作り方

1 フライパンにサラダ油をひき、鶏卵を割り
  入れる（A）。

2 2個のうずらの卵黄の位置が、鶏卵の卵
  黄に対して104.5°の角度になるように割
  り入れる（B）。

3 好みのかたさになるまで焼き、皿に盛る。

かがくを料理する

むずかしい調理をしなくても、市販のお菓子を盛り付けるだけで、
こんな「かがくの料理」がつくれる!

水素・窒素・二酸化炭素・水・メタン・アンモニア　　フレーバーポップコーン

水分子 × 2種の卵の目玉焼き

ポイント

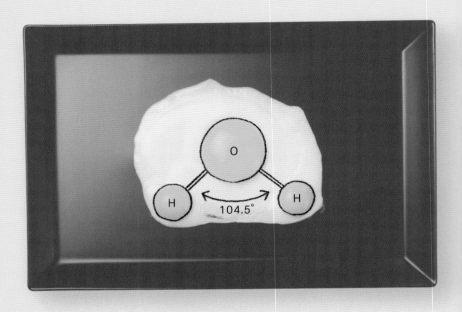

O	酸素を示す元素記号。
H	水素を示す元素記号。
水分子	酸素原子（O）1個と水素原子（H）2個でできた分子。

［ ゆら〜りかたより ］

水分子は地球上で最も多い分子のひとつだ。植物の光合成や動物の代謝機能、体温調節、消化・吸収など、多様な生命現象に関与している。水分子を構成する元素は2種類あり、水素原子（H）2個と酸素原子（O）1個の合計3個の原子でできている。化学式はH_2Oと表される。HはそれぞれOに結合し、2個のHはOを中心にした角度が104.5°の位置にある。

原子は中心に原子核をもち、周りを取り巻くように特定の数の電子が常に移動している。電子の位置は正確に決められないため、ある位置で見つけられる確率を分布図にすると、モヤモヤした電子雲として表現される。

水分子の原子は、共有結合で結びついている。共有結合では、2つの原子が1つの電子を共有する。水分子の場合、Oは2個のHそれぞれと電子を共有している。H-O-Hの間に104.5°という微妙な角度がついているのは、共有している電子が酸素の原子核の方にかたよっているためだ。

この性質は極性とよばれ、それぞれの原子が電子を引きつける強さが異なることで生まれる。この不均一さのおかげで、水分子は他の極性分子やイオンと相互作用しやすくなる。水がいろいろな物を溶かせるのもこのためだ。

このメニューの目玉焼きでは、酸素は鶏卵、水素にはより小型の食用卵であるうずらの卵を使っている。球状の卵黄の大きさは正確な測定や比較が難しいが、重さは鶏卵の卵黄が約18g、うずらの卵黄は約3gとかなり違う。他の卵の卵黄をみると、アヒルは約28g、七面鳥は約30g、ダチョウは約300gとなっている。ところで、水分子を構成している水素原子の質量数は1、酸素原子の質量数は16なので、その比は1:16だ。いろいろな卵の卵黄の重さを比較してみると、1:16の比に最も近いのは鶏卵とダチョウ卵になる。水素原子を鶏卵2個、酸素原子をダチョウ卵1個でつくった水分子の目玉焼きは、よりリアルな感覚が味わえそうだ。

金属結晶

3種のぶどうのゼリー

金属元素が集まってできる結晶の構造には、
体心立方格子、面心立方格子、六方最密構造がある。
一見、同じようにみえる3種類だが、
実際に組み立ててみると大きな違いを感じる。
金属結晶を参考にしてぶどうの粒をうまく配置してみよう。
ジェランガムを使うと透明度がとても高いゼリーができるため、
結晶構造がよく見通せる。

材料 | 2皿分

・お好きなぶどう3種
　　　　　　　　 それぞれ2房程度
・グラニュー糖 ………… 50g
・ジェランガム ………… 5g
　（※アガーで代用する場合は10g）
・レモン汁 ………………… 6 g

作り方

1　ぶどうを洗い、1種類ごとに型の中に規則
　　的に詰める（A）。

2　耐熱容器に水500mlとグラニュー糖、
　　ジェランガム、レモン汁を入れてかき混
　　ぜ、電子レンジで加熱して完全に溶かす。
　　突沸（急に沸騰）するため、適宜、かきまぜ
　　ながら加熱する（B）。

3　2の粗熱が取れたら、静かに型に流し入
　　れる（C）。冷蔵庫内で30分以上冷やし
　　固める。

4　ゼリーを型からゆっくり外し、皿に盛る。

むずかしい調理をしなくても、市販のお菓子を盛り付けるだけで、
こんな「かがくの料理」がつくれる！

炎色反応 ✕ カラフルわたあめ

ポイント

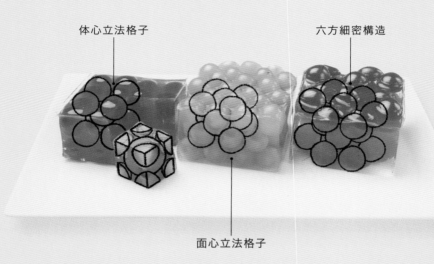

体心立法格子

六方細密構造

面心立法格子

結晶	原子、分子、イオンなどの粒子が規則的に並んだ構造をもつ固体。
金属結晶	金属原子で構成される結晶。体心立方格子、面心立方格子、六方最密構造などがあり、それぞれ結晶中の原子の配置が異なる。

［ ビシッ！ キチッ！ カチッ！ ］

　固体は気体や液体と違い、一定の形を保持できるという特徴がある。固体が一定の形のままでいられるのは、それを構成する原子、分子、イオンなどの粒子が、定位置にとどまって動かないよう強く結び合っているからだ。

　元素には結晶という固体になるものが多い。氷、塩、鉄はどれも結晶だが、結晶のもとになっている粒子や結合のしかたが異なる。氷は水分子からなる分子結晶、塩は塩化ナトリウムからなるイオン結晶、そして鉄は鉄の原子からなる金属結晶である。硬さや溶ける温度が違うことなどからわかるように、結晶にはそれぞれの性質がある。共通しているのは、粒子が規則正しく並んでいるということだ。どの結晶の構造も、タイル模様のように美しい配列を整然と繰り返す。

　結晶のうち、金属元素でできたものは金属結晶とよばれる。元素の周期表の約8割は金属元素に分類され、水銀以外の金属は常温で結晶になる。金属結晶は金属結合で結びついている。金属結合では電子がすべての原子の間を自由に動き回る。これが電気や熱をよく通す性質につながる。金属のこの性質は、火や電気を使う調理道具に欠かせないものだ。また、金属は薄く広げられる性質（展性）や長く引き伸ばせる性質（延性）をもつ。鍋やフライパンなど、調理道具を用途によっていろいろな形に加工できるのは、これらの性質があるためだ。

　金属結晶には特徴的な3種類の構造がある。それぞれ体心立方格子、面心立方格子、六方最密構造とよばれ、どの結晶も1種類の原子で構成される。体心立方格子は、球（原子）が少しすき間を空けて詰まった状態だ。面心立方格子と六方最密構造は最も密に詰まった状態（最密構造）とされている。みかんやりんごを箱にぎっしり入れたいときや、梅干しを弁当箱のごはんの上に目いっぱい詰め込みたいときがあったら、最密構造の方法を試してみると良いかもしれない。

滴定曲線

グラデーションゼリーと牛乳寒天

酸性の溶液と塩基性の溶液を混ぜたとき、
ある条件が合えば混合液は中性になる。
その反応が目でわかるのが中和滴定だ。
中和滴定の結果から滴定曲線という
Ｓ字カーブのようなグラフが描ける。
pHによって色が変わる指示薬は、
滴定曲線のグラフ上では2色のグラデーションになる。
グラデーションとＳ字カーブを冷たいおやつで表現してみよう。

材料 | 1皿分

牛乳寒天
- ・牛乳 ················· 200ml
- ・砂糖 ················· 30g
- ・寒天 ················· 2g

グラデーションゼリー
- ・ぶどうジュース ········ 100ml
- ・りんごジュース ········ 100ml
- ・オレンジジュース ······ 100ml
- ・グレープフルーツジュース
  ································· 100ml
- ・砂糖 ················· 40g
- ・ゼラチン ·············· 10g

作り方

牛乳寒天

1　鍋に水100mlと寒天を入れて火にかける。かき混ぜながら沸騰させ、寒天を完全に溶かす（A）。

2　1に砂糖を加えて溶かし、火を止めたあと、人肌程度にあたためた牛乳を入れて、混ぜ合わせる（B）。

3　粗熱を取ったあと、流し型に入れて冷やし固める（C）。

グラデーションゼリー

1　各ジュースを耐熱容器に移し、500Wの電子レンジで約1分間加熱する。

2　それぞれにゼラチンを2.5gずつ入れ、よくかき混ぜてゼラチンを溶かす。さらに、砂糖10gを加え、再度かき混ぜて溶かしたあと、粗熱をとる。

3　ぶどうジュースゼラチン溶液とオレンジジュースゼラチン溶液をそれぞれ流し型に入れ、冷蔵庫で固める（D）。ゼリーが完全に固まる前に、ぶどうにはりんごジュースゼラチン溶液を、オレンジにはグレープフルーツジュースゼラチン溶液を加え、冷蔵庫で完全に冷やし固める。

盛り付け

1　ぶどう／りんごゼリー、オレンジ／グレープフルーツゼリーをそれぞれのグラデーションの断面が見えるように薄く切る（E）。

2　牛乳寒天を縦長の向きになるよう皿に置き、2種類のグラデーションゼリーをその上にのせる。

3　やわらかいプラスチック板をS字に曲げて上から切断する（F）。

ポイント

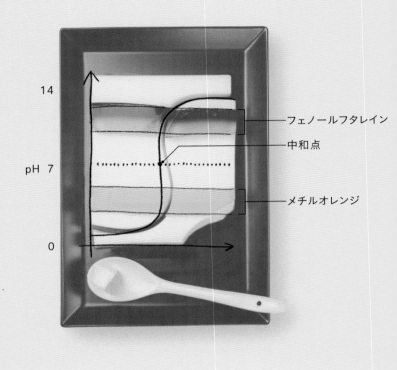

滴定曲線	酸または塩基の滴下量に対する混合水溶液のpHの変化を示したグラフ。
中和点	酸の水素イオン（H$^+$）と、塩基の水酸化物イオン（OH$^-$）の数が一致して、それぞれの性質が打ち消される（中和される）点。
フェノールフタレイン	pH指示薬のひとつ。pHが8.0を超えると無色から赤色になる。pHが約9.8までは徐々に赤色が濃くなる。
メチルオレンジ	pH指示薬のひとつ。pHが約3.1から4.4の範囲で色が赤から橙黄に変わる。

[実験LOVE♡]

酸性の溶液と塩基性の溶液を混ぜると水が生じる。酸の水素イオン（H^+）と、塩基の水酸化物イオン（OH^-）が反応して水分子（H_2O）ができるためだ。この2つのイオンの数が等しければ、混合液のpHは中性になる。この反応は中和反応とよばれる。

中和反応を利用して、濃度がわからない水溶液の濃度を調べる方法を中和滴定という。この実験には、pHによって色が変化するpH指示薬が必要になる。まず、pH指示薬を濃度のわからない水溶液に混ぜる。そこに酸性（または塩基性）の溶液を少しずつ混ぜていき、色の変化をみるというのが中和滴定のやり方だ。pH指示薬が入っている酸性（または塩基性）の水溶液へ、ぽたぽたと塩基性（または酸性）溶液のしずくを落としていくと、ある時点で水溶液の色は変わる。水溶液中のpHが変化したのだ。pH1に近いほど溶液は酸性になり、pH14に近いほど塩基性になる。メチルオレンジ（変色域はpH=3.1〜4.4）は酸性側、フェノールフタレイン（変色域はpH=8.0〜9.8）は塩基性側の代表的なpH指示薬に使われる。また、水溶液のpHは中和点が近づくと急激に変化する。このようなpHの変化をグラフに表すと滴定曲線が描ける。

実験に使う試薬などのpHを測るとき、現在では中和滴定で確認することはほとんどないだろう。ただ、この滴定方法は、pHという"目に見えないもの"を指示薬によって可視化できるようにしたすごい方法だ。見えない反応が、色の変化で驚くほど体感できる。

ところで、「おいしさ」は目に見えない。しかし、野菜の鮮やかな色やみずみずしさ、肉がじわじわ焼けるときの色の変化、作りたてのラーメンのどんぶりから立ちのぼる湯気の様子、ふわふわなスポンジケーキやつぶれたスポンジケーキの違いなど、目に見えないはずのおいしさを目で見て判断するときは、日々、数え切れないほどある。

フラーレン

はちみつキャンディ

たくさんの炭素原子だけで構成されたフラーレン C_{60} は、
"世界一小さいサッカーボール" ともいわれる。
フラーレン C_{60} の形には、正六角形と正五角形の面がある。
六角形のはちみつキャンディ20個をパズルのように
うまく組み合わせるにはコツがいる。
はちみつで手をベタベタにしながら、
きらきら輝くフラーレンキャンディをつくろう。

材料 | 1皿分

・グラニュー糖 ……………… 120g
・はちみつ ………………… 40g

作り方

1　鍋に水80ml、グラニュー糖、はちみつを
　　入れ、中火にかける（A）。沸騰してきたら
　　中火にする。

2　色づいてきたら、弱火にして水分を飛ば
　　す。焦げ付かないよう混ぜ、液を均一にす
　　る（B）。薄い飴色になったら火を止める。

3　六角形のシリコン型に2を入れ（C）、冷や
　　し固める。

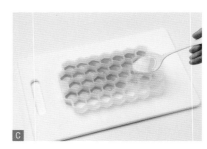

4　丸い容器などを使って、はちみつキャン
　　ディ同士を接着させながら成形し（D）、
　　サッカーボール型にする。

料理の箸やすめ

むずかしい調理をしなくても、市販のお菓子を盛り付けるだけで、
こんな「かがくの料理」がつくれる！

グラファイト ✕ 鈴カステラ

フラーレン ✕ はちみつキャンディ

ポイント

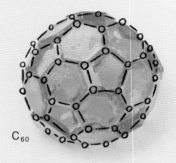

C_{60}

C	炭素を示す元素記号。
フラーレン	炭素でできた分子。炭素原子の数が60個でサッカーボール型のC_{60}、70個で楕円体の形のC_{70}などがある。

〚 ボーーーーール！！ 〛

炭素は生物の体を構成するために必要な元素だ。炭素原子は炭素同士や他の元素と容易に結合することができ、炭素を含む分子は数多くある。それらは多様な形状と多彩な性質をもつ。

炭素原子だけでできた物質を比べてみても、それぞれに違った特徴がわかる。真っ黒な黒鉛と透明に光るダイヤモンドのように、まったく似ているようには見えない物質も、炭素だけでできている。異なるのは炭素分子の構造だ。宝石や研磨剤になるダイヤモンドは正四面体の繰り返し、鉛筆の芯になる黒鉛（グラファイト）は層状（グラフェンが重なったもの）、カーボンナノチューブは円筒状、グラフェンは1層のシート状、そして、このメニューのモデルになったフラーレンは、サッカーボールのような形や楕円体などだ。

サッカーボールによく似た形状のフラーレン C_{60} は、その球の直径が約1nm（1mmの1,000,000分の1）と、とても小さい。この C_{60} は正六角形と正五角形を組み合わせた形で、フラーレンという名前の由来も、正六角形と正五角形でできるドーム型建築をデザインした建築家の名前からきている。

フラーレンの小さなボールの中は空間になっていて、中にものを詰めたカプセルを作ることもできる。フラーレンと同じく炭素だけでできたカーボンナノチューブは、マカロニのような構造をしていて、この空洞にも物質を入れられる。ナノテクノロジーの世界では、この性質を利用していろいろな物質を内包したフラーレンやナノチューブが作られている。

フラーレンキャンディの中ももちろん空洞になっているので、食べものを詰め込んでみても良さそうだ。ブルーチーズを内包した、一口サイズのフラーレンキャンディができたらどうだろう。口の中ではちみつが溶けてブルーチーズと味わえるように、薄いキャンディで作りたい。正六角形と正五角形で全面を閉じるつくり方だと、チーズ特有のにおい対策も完璧だ。

フラーレン × はちみつキャンディ

鏡像異性体

五色団子

鏡の向かい合わせにあるように
左右が反対の構造をもつ物質どうしを、鏡像異性体とよぶ。
グルタミン酸などのアミノ酸、ぶどう糖、乳酸など、
身近な食品の成分にも鏡像異性体がある。
鏡像異性体をモデルにすると、つくって楽しい、
食べておいしい、見ておかしい串団子ができあがる。
空想や妄想をかたちにすると、絵に描いた餅ではなくなる。

≫ 料理のつくり方

【 材料 │ 1皿分 】

みたらし
- 醤油 ……………………… 大さじ1
- 砂糖 ……………………… 大さじ2
- 片栗粉 …………………… 小さじ2

ごまだれ
- すりごま ………………… 大さじ1
- ごまペースト …………… 大さじ1
- 砂糖 ……………………… 小さじ1

だんご
- だんご粉 ………………… 100g
- こしあん ………………… 大さじ1
- さくらパウダー ………… 小さじ1/2
- よもぎパウダー ………… 小さじ1/2

【 作り方 】

みたらし
醤油、砂糖、片栗粉、水60mlを小鍋に
合わせ、だまができないように混ぜ合わ
せてから、中火にかける。とろみがついた
ら弱火にし、混ぜながら30秒〜1分ほど
火にかけ、なめらかにする（A）。

ごまだれ
すりごま、ごまペースト、砂糖をよく混ぜ
合わせる（B）。

かがくを料理する

だんご

1　だんご粉60gに水50mlをすこしずつ加えながら混ぜ、耳たぶ程度のやわらかさにする（C）。だんご粉20gとさくらパウダーを混ぜ合わせたものに、水20mlをすこしずつ加え、耳たぶ程度のやわらかさにする。だんご粉20gとよもぎパウダーを混ぜ合わせたものも、水20mlを使い同様の手順で作る。

2　1をそれぞれ直径1.5cmくらいの球状に丸める（D）。

3　丸い形をくずさないようにして、沸騰したお湯でゆでる（E）。だんごが浮いたところで引き上げ、すぐに冷水の中に入れ、冷えたら水気を切る。

盛り付け

1　あんこ、みたらし、ごまだれのだんごを皿に置く（F）。それぞれのだんごが頂点になる三角形が、鏡合わせで一対できるようにする。

2　それぞれのだんごに楊枝を刺し、三角錐の頂点になるように、さくらだんごを刺す。

3　さらにさくらだんごの上に楊枝を刺し、よもぎだんごを刺す。

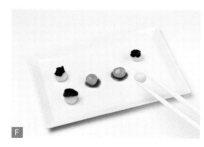

ポイント

鏡面

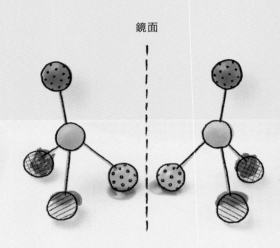

異性体	分子式は同じだが、構造が異なる化合物のこと。
鏡像異性体	鏡に映したような左右反転の立体構造をもつ異性体。対の形はD、L で区別される。光学異性体ともよばれる。

［ 鏡の国のあじする？ ］

　同じ分子式をもつが、構造の異なる化合物がある場合、互いを互いの異性体という。数ある異性体の種類のうち、分子の立体構造が鏡に映したように左右反転している異性体のことを鏡像異性体という。食の成分に身近な糖や、アミノ酸（グリシン以外）の分子にも鏡像異性体がある。鏡像異性体は対になっていてD、Lの型に分けられるが、自然界に存在する単糖はほとんどがD型、生物を構成するアミノ酸はほとんどがL型だ。

　鏡像異性体は、分子のなかに不斉炭素原子がある場合に生じる。不斉炭素原子とは、4種の異なる原子や原子団が結合した炭素原子のことだ。このレシピの団子では、四面体の真ん中のさくらだんごが不斉炭素原子といえそうだ。

　鏡像異性体の化学的・生物学的な性質は異なる場合があり、味やにおいなどの作用にも関係する。糖の鏡像異性体には、甘さの強さが違うものがある。においの成分では、香料に鏡像異性体が混ざるとにおいが変わるものがある。通常、鏡像異性体の融点や密度などの物理的性質はほとんど同じで、光に対する性質は違うため光学異性体ともよばれる。

　同じ種類の元素でできていても立体構造によって違う物質になるように、料理の場合も、同じ材料で別の料理がつくれる。調理のしかたに限らず、盛り付けの順番や形を変えるだけで、同じ素材から多彩なバリエーションが生まれる。1個分が同じサイズの団子を、5個連続して串に刺したものと、4個連続した上にすき間を開けて1個刺したものとでは、違う意味をもつ串団子として区別される。また、丸い形の団子と円柱型の団子では食感が変わる。これらは異性体でいうと、構造異性体という種類に当てはまりそうだ。鏡像異性体をつくる場合、串団子1本では鏡像になりにくいので、一対の三次元的な形を作るには工夫が必要だ。手軽なところでは、自分自身も鏡像異性体の一部になって鏡を見つめながら食べると、いつもと違う感覚も味わえるかもしれない。

あなたは何をつくりますか？

索引

著者紹介

石川 繭子 （いしかわ まゆこ）

食と科学のライター、イラストレーター、絵巻描き。共著に『分子調理の日本食』
（オライリー・ジャパン）、『絵巻でひろがる食品学』（化学同人）がある。

石川 伸一 （いしかわ しんいち）

分子調理学者。料理・調理、食の進化・未来を研究する大学教員。
食を「アート×サイエンス×デザイン×エンジニアリング」とクロスさせて研究している。

加賀 麗 （かが うらら）

モデル、インフルエンサー。教育学部で理科・家庭科の教員免許を取得。
卒業後、石川らと共に本書の作製に取り組む。

かがくを料理する

2023年9月25日　初版第1刷発行

著者　　　　石川 繭子（いしかわ まゆこ）、
　　　　　　石川 伸一（いしかわ しんいち）、
　　　　　　加賀 麗（かが うらら）

本文・カバー写真撮影
　　　　　　石川 繭子

発行人　　　ティム・オライリー

カバーデザイン
　　　　　　中西要介（STUDIO PT.）

デザイン　　根津小春、大下琴弓（STUDIO PT.）

印刷・製本　日経印刷株式会社

発行所　　　株式会社オライリー・ジャパン
　　　　　　〒160-0002 東京都新宿区四谷坂町12番22号
　　　　　　Tel (03) 3356-5227 Fax (03) 3356-5263
　　　　　　電子メール japan@oreilly.co.jp

発売元　　　株式会社オーム社
　　　　　　〒101-8460 東京都千代田区神田錦町3-1
　　　　　　Tel (03) 3233-0641 (代表) Fax (03) 3233-3440

Printed in Japan (ISBN978-4-8144-0044-7)